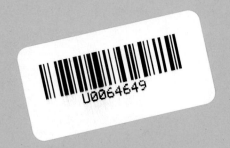

劉福春・李怡 主編

民國文學珍稀文獻集成

第四輯

新詩舊集影印叢編　第135冊

【魯迅卷】

野草

北京：北新書局 1927 年 7 月出版

魯迅 著

【柳風卷】

從深處出

北京：海音書局 1927 年 7 月出版

柳風 著

【柯仲平卷】

海夜歌聲

上海：光華書局 1927 年 8 月出版

柯仲平 著

花木蘭文化事業有限公司

國家圖書館出版品預行編目資料

野草／魯迅 著　從深處出／柳風 著　海夜歌聲／柯仲平 著 -- 初版 -- 新北市：花木蘭文化事業有限公司，2023〔民 112〕

116 面／32 面／128 面；19×26 公分

（民國文學珍稀文獻集成・第四輯・新詩舊集影印叢編　第 135 冊）

ISBN 978-626-344-144-6（全套：精裝）

831.8　　111021633

ISBN-978-626-344-144-6

9786263441446

民國文學珍稀文獻集成・第四輯・新詩舊集影印叢編（121-160 冊）
第 135 冊

野草
從深處出
海夜歌聲

著　　者　魯迅／柳風／柯仲平
主　　編　劉福春、李怡
企　　劃　四川大學中國詩歌研究院
　　　　　四川大學大文學學派
總 編 輯　杜潔祥
副總編輯　楊嘉樂
編輯主任　許郁翎
編　　輯　張雅淋、潘玟靜　美術編輯　陳逸婷
出　　版　花木蘭文化事業有限公司
發 行 人　高小娟
聯絡地址　235 新北市中和區中安街七二號十三樓
　　　　　電話：02-2923-1455／傳真：02-2923-1452
網　　址　http://www.huamulan.tw 信箱 service@huamulans.com
印　　刷　普羅文化出版廣告事業
初　　版　2023 年 3 月
定　　價　第四輯 121-160 冊（精裝）新台幣 100,000 元

野草

魯迅 著

魯迅（1881～1936），原名周樹人，生於浙江紹興。

北新書局（北京）一九二七年七月出版。原書三十二開。

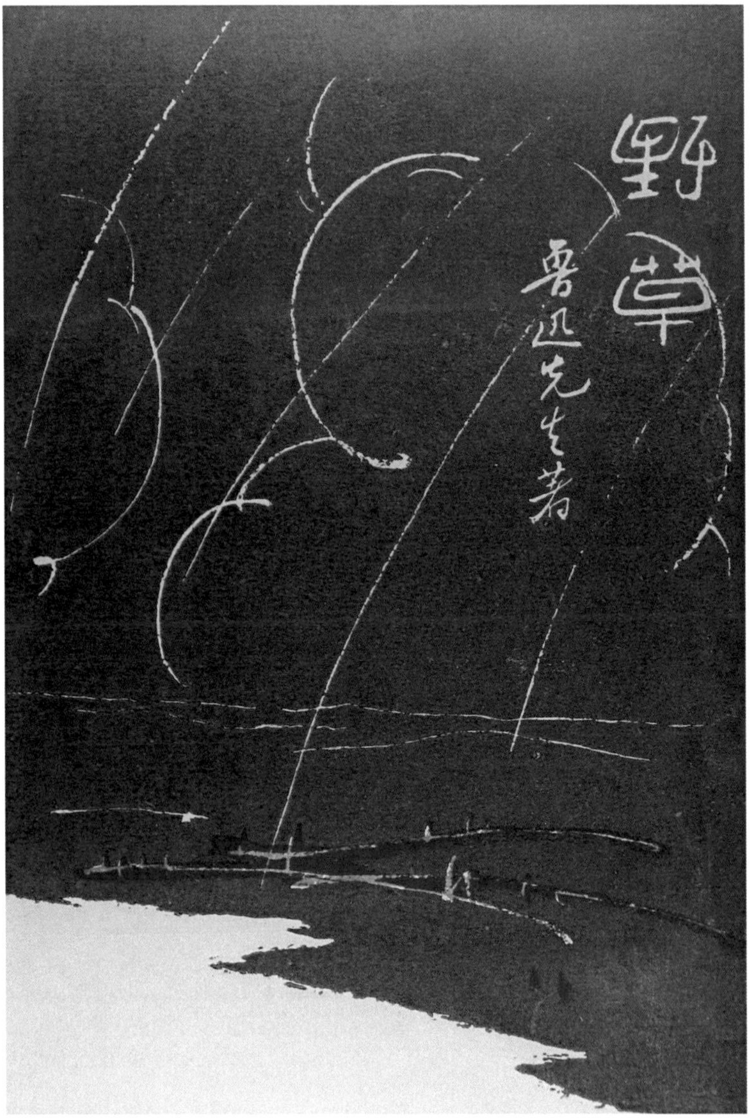
野草
魯迅先生著

烏合叢書之一

野草

魯迅

一九二七年七月印行。一至一千本

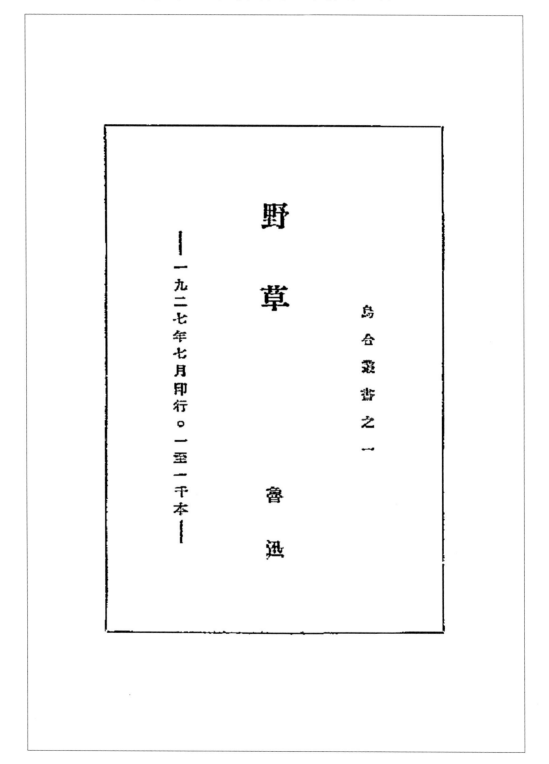

題辭

當我沈默着的時候，我覺得充實；我將開口，同時感到空虛。

過去的生命已經死亡。我對於這死亡有大歡喜，因爲我藉此知道牠曾經存活。死亡的生命已經朽腐。我對於這朽腐有大歡喜，因爲我藉此知道牠還非空虛。

生命的泥委棄在地面上，不生喬木，只生野草，這是我的罪過。

野草，根本不深，花葉不美，然而吸取露，吸取水，吸取陳死人的血和肉，各各奪取牠的生存。當生存時，還是將遭踐踏，將遭刪刈，直至于死亡而朽腐。

但我坦然，欣然。我將大笑，我將歌唱。

我自愛我的野草，但我憎惡這以野草作裝飾的地面。

地火在地下運行，奔突；熔岩一旦噴出，將燒盡一切野草，以及喬木，於是並且無可朽腐。

但我坦然，欣然。我將大笑，我將歌唱。

天地有如此靜穆，我不能大笑而且歌唱。天地即不如此靜穆，我或者也將不能。我以這一叢野草，在明與暗，生與死，過去與未來之際，獻於友與讎，人與獸，愛者與不愛者之前作證。

為我自己，為友與讎，人與獸，愛者與不愛者，我希望這野草的死亡與朽腐，火速到來。要不然，我先就未曾生存，這實在比死亡與朽腐更其不幸。

— II —

去罷，野草，連着我的題辭！

一九二七年四月二十六日，魯迅記於廣州之白雲樓上。

—IV—

目錄

—VIII—

秋夜

在我的後園，可以看見牆外有兩株樹，一株是棗樹，還有一株也是棗樹。

這上面的夜的天空，奇怪而高，我生平沒有見過這樣的奇怪而高的天空。他彷彿要離開人間而去，使人們仰面不再看見。然而現在卻非常之藍，閃閃地䀹着幾十個星星的眼，冷眼。他的口角上現出微笑，似乎自以爲大有深意，而將繁霜灑在我的園裏的野花草上。

我不知道那些花草真叫什麼名字，人們叫他們什麼名字。我記得有一種開過極細小的粉紅花，現在還開着，但是更極細小了，她在冷的夜氣中，瑟縮地做夢，夢見春的到來，夢見秋的到來，夢見瘦的詩人將眼淚擦在她最末的花瓣上，告訴她秋雖然來，冬雖然來，而此後接着還是春，胡蝶亂飛，蜜蜂都唱起春詞來了。她於是一笑，雖然顏色凍得紅慘慘地，仍然瑟縮着。

棗樹，他們簡直落盡了葉子。先前，還有一兩個孩子來打他們別人打剩的棗子，現在是一個也不剩了，連葉子也落盡了。他知道小粉紅花的夢，秋後要有春；他也知道落葉的夢，春後還是秋。他簡直落盡葉子，單剩幹子，然而脫了當初滿樹是果實和葉子時候的弧形，欠伸得很舒服。但是，有幾枝還低亞着，護定他從打棗的竿梢所得的皮傷，而最直最長的幾枝，卻已默默地鐵似的直刺着奇怪而高的天空，使天空閃閃地鬼䀹眼；直刺着天空中圓滿的月亮，使月亮窘得發白。

鬼眨眼的天空越加非常之黯，不安了，彷彿想離去人間，避開罪樹，只將月亮剩下。然而月亮也暗暗地躲到東邊去了。而一無所有的幹子，卻仍然默默地鐵似的直刺着奇怪而高的天空，一意要制他的死命，不管他各式各樣地映着許多螢螢的眼睛。

哇的一聲，夜遊的惡鳥飛過了。

我忽而聽到夜半的笑聲，吃吃地，似乎不願意驚動睡着的人，然而四圍的空氣都應和着笑。夜半，沒有別的人，我即刻聽出這聲音就在我嘴裏，我也即刻被這笑聲所驅逐，回進自己的房。燈火的帶子也即刻被我旋高了。

後窗的玻璃上丁丁地響，還有許多小飛蟲亂撞。不多久，幾個進來了，許是從窗紙的破孔進來的。他們一進來，又在玻璃的燈罩上撞得丁丁地響。一個從上面撞進去了，他于是遇到火，而且我以為這火是眞的。兩三個卻休息在燈的紙罩上喘氣。那罩是昨晚新換的罩，雪白的紙，摺出波浪紋的疊痕，一角還畫出一枝猩紅色的梔子。

猩紅的梔子開花時，棗樹又要做小粉紅花的夢，青葱地彎成弧形了……。我又聽到夜半的笑聲；我趕緊砍斷我的心緒，看那老在白紙罩上的小青蟲，頭大尾小，向日葵子似的，只有半粒小麥那麼大，遍身的顏色蒼翠得可愛，可憐。

我打一個呵欠，點起一支紙煙，噴出煙來，對着燈默默地敬奠這些蒼翠精緻的英雄們。

一九二四年九月十五日。

影的告別

人睡到不知道時候的時候，就會有影來告別，說出那些話——

有我所不樂意的在天堂裏，我不願去；有我所不樂意的在地獄裏，我不願去；有我所不樂意的在你們將來的黃金世界裏，我不願去。

然而你就是我所不樂意的。

朋友，我不想跟隨你了，我不願住。

我不願意！

嗚乎嗚乎，我不願意，我不如彷徨于無地。

我不過一個影，要別你而沈沒在黑暗裏了。然而黑暗又會吞併我，然而光明又會使我消失。

然而我不願彷徨于明暗之間，我不如在黑暗裏沈沒。

然而我終于彷徨于明暗之間，我不知道是黃昏還是黎明。我姑且舉灰黑的手裝作喝乾一杯酒，我將在不知道時候的時候獨自遠行。

嗚呼嗚呼，倘若黃昏，黑夜自然會來沈沒我，否則我要被白天消失，如果現是黎明。

朋友，時候近了。

我將向黑暗裏徬徨于無地。

你還想我的贈品。我能獻你甚麼呢？無已，則仍是黑暗和虛空而已。但是，我願意只是黑暗，或者會消失于你的白天；我願意只是虛空，決不佔你的心地。

我願意這樣，朋友——

我獨自遠行，不但沒有你，並且再沒有別的影在黑暗裏。只有我被黑暗沉沒，那世界全屬于我自己。

一九二四年九月二十四日。

求乞者

我順着剝落的高牆走路，踏着鬆的灰土。另外有幾個人，各自走路。微風起來，露在牆頭的高樹的枝條帶着還未乾枯的葉子在我頭上搖動。

微風起來，四面都是灰土。

一個孩子向我求乞，也穿着夾衣，也不見得悲戚，而攔着磕頭，追着哀呼。

我厭惡他的聲調，態度。我憎惡他並不悲哀，近于兒戲；我煩厭他這追着哀呼。

— 8 —

我走路。另外有幾個人各自走路。微風起來，四面都是灰土。

一個孩子向我求乞，也穿着夾衣，也不見得悲戚，但是啞的，攤開手，裝着手勢。

我就憎惡他這手勢。而且，他或者並不啞，這不過是一種求乞的法子。

我不布施，我無布施心，我但居布施者之上，給與煩膩，疑心，憎惡。

我順着倒敗的泥牆走路，斷磚疊在牆缺口，牆裏面沒有什麼。微風起來，送秋寒穿透我的夾衣；四面都是灰土。

我想着我將用什麼方法求乞：發聲，用怎樣聲調？裝啞，用怎樣手勢？……

另外有幾個人各自走路。

我將得不到布施，得不到布施心；我將得到自居於布施之上者的煩膩，疑心，憎惡。

我將用無所爲和沈默求乞……

我至少將得到虛無。

微風起來，四面都是灰土。另外有幾個人各自走路。

灰土，灰土，……

………………

灰土……

一九二四年九月二十四日。

我的失戀

——擬古的新打油詩——

我的所愛在山腰；
想去尋她山太高，
低頭無法淚沾袍。
愛人贈我百蝶巾；
回她什麼：貓頭鷹。
從此翻臉不理我，

不知何故兮使我心驚。

我的所愛在鬧市

想去尋她人擁擠，

仰頭無法淚沾耳。

愛人贈我雙燕圖；

回她什麼：冰糖壺盧。

從此翻臉不理我，

不知何故兮使我胡塗。

我的所愛在河濱；
想去尋她河水深，
歪頭無法淚沾襟。
愛人贈我金錶索；
回她什麼：發汗藥。
從此翻臉不理我，
不知何故兮使我神經衰弱。

我的所愛在豪家；
想去尋她兮沒有汽車，
搖頭無法淚如麻。

愛人贈我玫瑰花；
回她什麼：赤練蛇。
從此翻臉不理我，
不知何故兮——由她去罷。

一九二四年十月三日。

復讐

人的皮膚之厚，大概不到半分，鮮紅的熱血，就循着那後面，在比密密層層地爬在牆壁上的槐蠶更其密的血管裏奔流，散出溫熱。于是各以這溫熱互相蠱惑，煽動，牽引，拚命地希求偎倚，接吻，擁抱，以得生命的沉酣的大歡喜。

但倘若用一柄尖銳的利刃，只一擊，穿透這桃紅色的，菲薄的皮膚，將見那鮮紅的熱血激箭似的以所有溫熱直接灌溉殺戮者；其次，則給以冰冷的呼吸，示以淡白的嘴唇，使之人性茫然，得到生命的飛揚的極致的大歡喜；而其自身，則永遠沈浸于生命的飛揚的極致的大歡喜中。

這樣，所以，有他們倆裸着全身，捏着利刃，對立于廣漠的曠野之上。

他們倆將要擁抱，將要殺戮……

路人們從四面奔來，密密層層地，如槐蠶爬上牆壁，如馬蟻要扛鯗頭。衣服都漂亮，手倒空的。然而從四面奔來，而且拚命地伸長頸子，要賞鑒這擁抱或殺戮。他們已經豫覺着事後的自己的舌上的汗或血的鮮味。

然而他們倆對立着，在廣漠的曠野之上，裸着全身，捏着利刃，然而也不擁抱，也不殺戮，而且也不見有擁抱或殺戮之意。

他們倆這樣地至于永久，圓活的身體，已將乾枯，然而毫不見有擁抱或殺戮之意。

路人們于是乎無聊；覺得有無聊鑽進他們的毛孔，覺得有無聊從他們自己的心中由毛孔鑽出，爬滿曠野，又鑽進別人的毛孔中。

他們于是覺得喉舌乾燥，鼻子也乏了；終至于面面相覷，慢慢走散；甚而至于居然覺得乾枯到失了生趣。

于是只賸下廣漠的曠野，而他們倆在其間裸着全身，捏着利刃，乾枯地立着；以死人似的眼光，賞鑒這路人們的乾枯，無血的大戮，而永遠沈浸于生命的飛揚的極致的大歡喜中。

一九二四年十二月二十日。

復讐（其二）

因爲他自以爲神之子，以色列的王，所以去釘十字架。

兵丁們給他穿上紫袍，戴上荊冠，慶賀他；又拿一根葦子打他的頭，吐他，屈膝拜他；戲弄完了，就給他脫了紫袍，仍穿他自己的衣服。

看哪，他們打他的頭，吐他，拜他……

他不肯喝那用沒藥調和的酒，要分明地玩味以色列人怎樣對付他們的神之子，而且較永久地悲憫他們的前途，然而仇恨他們的現在。

四面都是敵意，可悲憫的，可咒詛的。

丁丁地響，釘尖從掌心穿透，他們要釘殺他們的神之子了，可憫的人們呵，使他痛得柔和。丁丁地響，釘尖從脚背穿透，釘碎了一塊骨，痛楚也透到心髓中，然而他們自己釘殺着他們的神之子了，可咒詛的人們呵，這使他痛得舒服。

十字架豎起來了；他懸在虛空中。

他沒有喝那用沒藥調和的酒，要分明地玩味以色列人怎樣對付他們的神之子，而且較永久地悲憫他們的前途，然而讎恨他們的現在。

路人都辱罵他，祭司長和文士也戲弄他，和他同釘的兩個強盜也譏誚他。

看哪，和他同釘的……

四面都是敵意，可悲憫的，可咒詛的。

他在手足的痛楚中，玩味着可憫的人們的釘殺神之子的悲哀和可咒詛的人們要釘殺神之子，而神之子就要被釘殺了的歡喜。突然間，碎骨的大痛楚透到心髓了，他即沈酣于大歡喜和大悲憫中。

他腹部波動了，悲憫和咒詛的痛楚的波。

遍地都黑暗了。

「以羅伊，以羅伊，拉馬撒巴各大尼!?」（繙出來，就是：我的上帝，你爲甚麼離棄我!?）

上帝離棄了他，他終于還是一個「人之子」；然而以色列人連「人之子」都釘殺了。

釘殺了「人之子」的人們的身上，比釘殺了「神之子」的尤其血汙，血腥。

一九二四年十二月二十日。

希望

我的心分外地寂寞。

然而我的心很平安：沒有愛憎，沒有哀樂，也沒有顏色和聲音。

我大概老了？我的頭髮已經蒼白，不是很明白的事麼？我的手顫抖着，不是很明白的事麼？那麼，我的魂靈的手一定也顫抖着，頭髮也一定蒼白了。

然而這是許多年前的事了。

這以前，我的心也曾充滿過血腥的歌聲：血和鐵，火焰和毒，恢復和報讎。而忽而這些都空虛了，但有時故意地填以沒奈何的自賴的希望。希望，希望，用這希望的盾，抗拒那空虛中的暗夜的襲來，雖然盾後面也依然是空虛中的暗夜。然而就是如此，陸續地耗盡了我的青春。

我早先豈不知我的青春已經逝去了？但以爲身外的青春固在：星，月光，僵墜的胡蝶，暗中的花，貓頭鷹的不祥之言，杜鵑的啼血，笑的渺茫，愛的翔舞……。雖然是悲涼漂渺的青春罷，然而究竟是青春。

然而現在何以如此寂寞？難道連身外的青春也都逝去，世上的青年也多衰老了麼？

我只得由我來肉薄這空虛中的暗夜了。我放下了希望之盾，我聽到 Petőfi Sándor (1823-49) 的「希望」之歌：

希望是甚麼？是娼妓：

她對誰都蠱惑，將一切都獻給；

待你犧牲了極多的寶貝——

你的青春——她就棄掉你。

這偉大的抒情詩人，匈牙利的愛國者，爲了祖國而死在可薩克兵的矛尖上，已經七十五年了。悲哉死也，然而更可悲的是他的詩至今沒有死。

但是，可慘的人生！桀驁英勇如Petöfi，也終於對了暗夜止步，回顧着茫茫的東方了。他說：

絕望之爲虛妄，正與希望相同。

倘使我還得偷生在不明不暗的這「虛妄」中，我就還要尋求那逝去的悲涼漂渺的青春，但不妨在我的身外。因爲身外的青春倘一消滅，我身中的遲暮也即凋零了。

然而現在沒有星和月光，沒有僵墜的胡蝶以至笑的渺茫，愛的翔舞。然而青年們很平安。

我只得由我來肉薄這空虛中的暗夜了，縱使尋不到身外的青春，也總得自己來一擲我身中的遲暮。但暗夜又在那里呢？現在沒有星，沒有月光以至笑的渺茫和愛的翔舞；青年們很平安，而我的面前又竟至于並且沒有眞的暗夜。

絕望之爲虛妄，正與希望相同！

一九二五年一月一日。

雪

暖國的雨，向來沒有變過冰冷的堅硬的燦爛的雪花。博識的人們覺得他單調，他自己也以爲不幸否耶？江南的雪，可是滋潤美豔之至了；那是還在隱約着的青春的消息，是極壯健的處子的皮膚。雪野中有血紅的寶珠山茶，白中隱青的單瓣梅花，深黃的磬口的蠟梅花；雪下面還有冷綠的雜草。胡蝶確乎沒有；蜜蜂是否來采山茶花和梅花的蜜，我可記不眞切了。但我的眼前彷彿看見冬花開在雪野中，有許多蜜蜂們忙碌地飛着，也聽得他們嗡嗡地鬧着。

孩子們呵着凍得通紅，像紫芽薑一般的小手，七八個一齊來塑雪羅漢。因爲不成功，誰的父親也來幫忙了。羅漢就塑得比孩子們高得多，雖然不過是上小下大的一堆，終于分不清是壺盧還是羅漢。然而很潔白，很明艷，以自身的滋潤相黏結，整個地閃閃地生光。孩子們用龍眼核給他做眼珠，又從誰的母親的脂粉奩中偷得胭脂來塗在嘴唇上。這回確是一個大阿羅漢了。他也就目光灼灼地嘴唇通紅地坐在雪地裏。

第二天還有幾個孩子來訪問他；對了他拍手，點頭，嘻笑。但他終于獨自坐着了。晴天又來消釋他的皮膚，寒夜又使他結一層冰，化作不透明的水晶模樣；連續的晴天又使他成爲不知道算什麽，而嘴上的胭脂也褪盡了。

但是，朔方的雪花在紛飛之後，却永遠如粉，如沙，他們決不黏連，撒在屋上，地上，枯草上，就是這樣。屋上的雪是早已就有消化了的，因爲屋裏居人的火的溫熱。別的，在晴天之下，旋風忽來，便蓬勃地奮飛，在日光中燦燦地生光，如包藏火焰的大霧，旋轉而且升騰，彌漫太空，使太空旋轉而且升騰地閃爍。

在無邊的曠野上，在凜冽的天宇下，閃閃地旋轉升騰着的是雨的精魂……。

是的，那是孤獨的雪，是死掉的雨，是雨的精魂。

一九二五年一月十八日。

風箏

北京的冬季，地上還有積雪，灰黑色的禿樹枝丫又於晴朗的天空中，而遠處有一二風箏浮動，在我是一種驚異和悲哀。

故鄉的風箏時節，是春二月，倘聽到沙沙的風輪聲，仰頭便能看見一個淡墨色的蟹風箏或嫩藍色的蜈蚣風箏。還有寂寞的瓦片風箏，沒有風輪，又放得很低，伶仃地顯出憔悴可憐模樣。但此時地上的楊柳已經發芽，早的山桃也多吐蕾，和孩子們的天上的點綴相照應，打成一片春日的溫和。我現在在那里呢？四面都還是嚴冬的肅殺，而久經訣別的故鄉的久經逝去的春天，卻就在這天空中蕩漾了。

但我是向來不愛放風箏的，不但不愛，並且嫌惡他，因爲我以爲這是沒出息孩子所做的玩藝。和我相反的是我的小兄弟，他那是大概十歲內外罷，多病，瘦得不堪，然而最喜歡風箏，自己買不起，我又不許放，他只得張着小嘴，呆看着空中出神，有時至於小半日。遠處的蟹風箏突然落下來了，他驚呼；兩個瓦片風箏的纏繞解開了，他高興得跳躍。他的這些，在我看來都是笑柄，可鄙的。

有一天，我忽然想起，似乎多日不很看見他了，但記得曾見他在後園拾枯竹。我恍然大悟似的，便跑向少有人去的一間堆積雜物的小屋去，推開門，果然就在塵封的什物堆中發見了他。他向着大方凳，坐在小凳上；便很驚惶地站了起來，失了色瑟縮着。大方凳旁靠着一個胡蝶風箏的竹骨，還沒有糊上紙，凳上是一對做眼睛用的小風輪，正用紅紙條裝飾着，將要完工了。我在破獲秘密的滿足中，又很憤怒他的瞞了我的眼睛，這樣苦心孤詣地來偷做沒出息孩子的玩藝。我即刻伸手折斷了胡蝶的一支翅骨，又將風輪擲在地下，踏扁了。論長幼，論力氣，他是都敵不過我的，我當然得到完全的勝利，於是傲然走出，留他絕望地站在小屋裏。後來他怎樣，我不知道，也沒有留心。

然而我的懲罰終於輪到了，在我們離別得很久之後，我已經是中年。我不幸偶而看了一本外國的講論兒童的書，纔知道遊戲是兒童最正當的行爲，玩具是兒童的天使。于是二十年來毫不憶及的幼小時候對于精神的虐殺的這一幕，忽地在眼前展開，而我的心也彷彿同時變了鉛塊，很重很重的墮下去了。

但心又不竟墮下去而至于斷絕，他只是很重很重地墮着，墮着。

我也知道補過的方法的：送他風箏，贊成他放，勸他放，我和他一同放。我們嚷着，跑着，笑着。——然而他其時已經和我一樣，早已有了鬍子了。

我也知道還有一個補過的方法的：去討他的寬恕，等他說，「我可是毫不怪你呵。」那麼，我的心一定就輕鬆了，這確是一個可行的方法。有一回，我們會面的時候，是臉上都已添刻了許多「生」的辛苦的條紋，而我的心很沉重。我們漸漸談起兒時的舊事來，我便敘述到這一節，自說少年時代的胡塗。「我可是毫不怪你呵。」我想，他要說了，我即刻便受了寬恕，我的心從此也寬鬆了罷。

「有過這樣的事麼？」他驚異地笑着說，就像旁聽着別人的故事一樣。他什麼也不記得了。

全然忘却，毫無怨恨，又有什麼寬恕之可言呢？無怨的恕，說謊罷了。

我還能希求什麼呢？我的心只得沉重着。

現在，故鄉的春天又在這異地的空中了，既給我久經逝去的兒時的回憶，而一幷也帶着無可把握的悲哀。我倒不如躲到肅殺的嚴冬中去罷，——但是，四面又明明是嚴冬，正給我非常的寒威和冷氣。

一九二五年一月二十四日。

好的故事

燈火漸漸地縮小了，在豫告石油的已經不多；石油又不是老牌，早薰得燈罩很昏暗。鞭爆的繁響在四近，煙草的煙霧在身邊：是昏沈的夜。

我閉了眼睛，向後一仰，靠在椅背上；捏着「初學記」的手擱在膝髁上。

我在朦朧中，看見一個好的故事。

這故事很美麗，幽雅，有趣。許多美的人和美的事，錯綜起來像一天雲錦，而且萬顆奔星似的飛動着，同時又展開去，以至於無彩。

我仿佛記得曾坐小船經過山陰道，兩岸邊的烏桕，新禾，野花，雞，狗，叢樹和枯樹，茅屋，塔，伽藍，農夫和村婦，村女，曬着的衣裳，和尚，蓑笠，天，雲，竹，……都倒影在澄碧的小河中，隨着每一打槳，各各夾帶了閃爍的日光，并水裏的萍藻游魚，一同蕩漾。諸影諸物，無不解散，而且搖動，擴大，互相融和；剛一融和，却又退縮，復近于原形。邊緣都參差如夏雲頭，鑲着日光，發出水銀色焰。凡是我所經過的河，都是如此。

現在我所見的故事也如此。水中的青天的底子，一切事物統在上面交錯，織成一篇，永是生動，永是展開，我看不見這一篇的結束。

河邊枯柳樹下的幾株瘦削的一丈紅，該是村女種的罷。大紅花和斑紅花，都在水裏面浮動，忽而碎散，拉長了，縷縷的胭脂水，然而沒有聲。茅屋，狗，塔，村女，雲，……也都浮動着。大紅花一朵朵全被拉長了，這時是蜿蜒奔迸的紅錦帶。帶繞入狗中，狗繞入白雲中，白雲繞入村女中……。在一瞬間，他們又將退縮了。但斑紅花影也已碎散，伸長，就要繞進塔，村女，狗，茅屋，雲裏去。

現在我所見的故事清楚起來了，美麗，幽雅，有趣，而且分明。青天上面，有無數美的人和美的事，我一一看見，一一知道。

我就要凝視他們……。

我正要凝視他們時，驟然一驚，睜開眼，雲錦也已皺蹙，凌亂，彷彿有誰擲一塊大石下河水中，水波陡然起立，將整箇的影子撕成片片了。我無意識地趕忙捏住幾乎墜地的「初學記」，眼前還蹝着幾點虹霓色的碎影。

我眞愛這一篇好的故事，趁碎影還在，我要追囘他，完成他，留下他。我抛了書，欠身伸手去取筆，——何嘗有一絲碎影，只見昏暗的燈光，我不在小船裏了。

但我總記得見過這一篇好的故事，在昏沈的夜……。

一九二五年二月二十四日。

—36—

過客

時：或一日的黃昏。

地：或一處。

人：

老翁。約七十歲，白鬚髮，黑長袍。

女孩。約十歲，紫髮，烏眼珠，白地黑方格長衫。

過客。約三四十歲，狀態困頓倔強，眼光陰沈，黑鬚，亂髮，黑色短衣褲皆破碎，赤足著破鞋，脅下掛一個口袋，支著等身的竹杖。

東，是幾株雜樹和瓦礫；西，是荒涼破敗的叢葬；其間有一條似路非路的痕迹。一間小土屋向這痕迹開着一扇門；門側有一段枯樹根。

（女孩正要將坐在樹根上的老翁攙起。）

翁。孩子。喂，孩子！怎麼不動了呢？

孩。（向東望着，）有誰走來了，看一看罷。

翁。不用看他。扶我進去罷。太陽要下去了。

孩。我，——看一看。

翁。唉，你這孩子！天天看見天，看見土，看見風，還不夠好看麼？什麼也不比這些好看。你偏是要看誰。太陽下去時候出現的東西，不會給你什麼好處的。……還是進去罷。

孩。可是，已經近來了。阿阿，是一個乞丐。

翁。乞丐？不見得罷。

（過客從東面的雜樹間踉蹌走出，暫時躊躇之後，慢慢地走近老翁去。）

客。老丈，你晚上好？

翁。阿，好！託福。你好？

客。老丈，我實在冒昧，我想在你那里討一杯水喝。我走得渴極了。這地方又沒有一個池塘，一個水窪。

翁。唔，可以可以。你請坐罷。（向女孩，）孩子，你拿水來，杯子要洗乾淨。

（女孩默默地走進土屋去。）

翁。客官，你請坐。你是怎麼稱呼的。

客。稱呼？——我不知道。從我還能記得的時候起，我就只一個人。我不知道我本來叫什麼。我一路走，有時人們也隨便稱呼我，各式各樣地，我也記不清楚了，況且相同的稱呼也沒有聽到過第二回。

翁。阿阿。那麼，你是從那里來的呢？

客。（略略遲疑：）我不知道。從我還能記得的時候起，我就在這麼走。

翁。對了。那麼，我可以問你到那里去麼？

客。自然可以。——但是，我不知道。從我還能記得的時候起，我就在這麼走，要走到一個地方去，這地方就在前面。我單記得走了許多路，現在來到這里了。我接着就要走向那邊去，（西指，）前面！

（女孩小心地捧出一個木杯來，遞去。）

客。（接杯，）多謝，姑娘。（將水兩口喝盡，遞杯，）多謝，姑娘。這眞是少有的好意。我眞不知道應該怎樣感激！

翁。不要這麼感激。這於你是沒有好處的。

客。是的，這於我沒有好處。可是我現在很恢復了些力氣了。我就要前去。老丈，你大約是久住在這里的，你可知道前面是怎麼一個所在麼？

翁。前面？前面，是墳。

客。（詫異地，）墳？

孩。不，不，不的。那里有許多許多野百合，野薔薇，我常常去玩，去看他們的。

客。（西顧，彷彿微笑，）不錯。那些地方有許多許多野百合，野薔薇，我也常常去玩過，去看過的。但是，那是墳。（向老翁，）老丈，走完了那墳地之後呢？

翁。走完之後？那我可不知道。我沒有走過。

客。不知道?!

孩。我也不知道。

翁。我單知道南邊；北邊；東邊，你的來路。那是我最熟悉的地方，也許倒是於你們最好的地方。你莫怪我多嘴，據我看來，你已經這麼勞頓了，還不如回轉去，因為你前去也料不定可能走完。

客。料不定可能走完？……（沈思，忽然驚起，）那不行！我只得走。回到那裏去，就沒一處沒有名目，沒一處沒有地主，沒一處沒有驅逐和牢籠，沒一處沒有皮面的笑容，沒一處沒有眶外的眼淚。我憎惡他們，我不回轉去！

翁。那也不然。你也會遇見心底的眼淚，為你的悲哀。

客。不。我不願看見他們心底的眼淚，不要他們為我的悲哀！

翁。那麼，你，（搖頭，）你只得走了。

客。是的，我只得走了。況且還有聲音常在前面催促我，叫喚我，使我息不下。可恨的是我的脚早經走破了，有許多傷，流了許多血。（舉起一足給老人看，）因此，我的血不夠了；我要喝些血。但血在那裏呢？可是我也不願意喝無論誰的血。我只得喝些水，來補充我的血。一路上總有水，我倒也並不感到什麼不足。只是我的力氣太稀薄了，血裏面太多了水的緣故罷。今天連一個小水窪也遇不到，也就是少走了路的緣故罷。

翁。那也未必。太陽下去了，我想，還不如休息一會的好罷，像我似的。

客。但是，那前面的聲音叫我走。

翁。我知道。

客。你知道？你知道那聲音麼？

翁。是的。他似乎曾經也叫過我。

客。那也就是現在叫我的聲音麼？

翁。那我可不知道。他也就是叫過幾聲，我不理他，他也就不叫了，我也就記不清楚了。

客。唉唉，不理他……。（沉思，忽然吃驚，傾聽着，）不行！

我還是走的好。我息不下。可恨我的腳早經走破了。(準備走路。)

孩。給你！(遞給一片布，)裹上你的傷去。

客。多謝，(接取，)姑娘。這真是……。這真是極少有的好意。這能使我可以走更多的路。(就斷磚坐下，要將布纏在踝上，)但是，不行！(竭力站起，)姑娘，還了你罷，還是裹不下。況且這太多的好意，我沒法感激。

翁。你不要這麼感激；這於你沒有好處。

客。是的，這於我沒有什麼好處。但在我，這布施是最上的東西了。你看，我全身上可有這樣的。

翁。你不要當真就是。

客。是的。但是我不能。我怕我會這樣：倘使我得到了誰的布施，我就要像兀鷹看見死屍一樣，在四近徘徊，祝願她的滅亡，給我親自看見，或者咒詛她以外的一切全都滅亡，連我自己，因爲我就應該得到咒詛。但是我還沒有這樣的力量；即使有這力量，我也不願意她有這樣的境遇，因爲她們大概總不願意有這樣的境遇。我想，這最穩當。（向女孩，）姑娘，你這布片太好，可是太小一點了，還了你罷。

孩。（驚懼，退後，）我不要了！你帶走！

客。（似笑，）哦哦，……因爲我拿過了？

孩。（點頭，指口袋，）你裝在那裏，去玩玩。

客。（頹唐地退後，）但這背在身上，怎麼走呢？……

翁。你息不下，也就背不動。──休息一會，就沒有什麼了。

客。對咧，休息……。（默想，但忽然驚醒，傾聽。）不！我不能！我還是走好。

翁。你總不願意休息麼？

客。我願意休息。

翁。那麼，你就休息一會罷。

客。但是：我不能……。

翁。你總還是覺得走好麼？

客。是的。還是走好。

翁。那麼，你也還是走好罷。

客。（將腰一伸，）好，我告別了。我很感謝你們。（向着女孩，）姑娘，這還你，請你收回去。

（女孩驚懼，斂手，要躲進土屋裏去。）

翁。你帶去罷。要是太重了，可以隨時拋在墳地裏面的。

孩。（走向前，）阿阿，那不行！

客。　阿阿，那不行的。

翁。　那麼，你掛在野百合野薔薇上就是了。

孩。　（拍手，）哈哈！好！

翁。　哦哦……。

（極暫時中，沈默。）

翁。　那麼，再見了。祝你平安。（站起，向女孩，）孩子，扶我進去罷。你看，太陽早已下去了。（轉身向門。）

客。　多謝你們。祝你們平安。（徘徊，沈思，忽然吃驚，）然而我不能！我只得走。我還是走好罷……。（即刻昂了頭，奮然向西走去。）

（女孩扶老人走進土屋，隨即闔了門。過客向野地裏踉蹌地闖進去，夜色跟在他後面。）

一九二五年三月二日。

死火

我夢見自己在冰山間奔馳。

這是高大的冰山，上接冰天，天上凍雲彌漫，片片如魚鱗模樣。山麓有冰樹林，枝葉都如松杉。一切冰冷，一切青白。

但我忽然墜在冰谷中。

上下四旁無不冰冷，青白。而一切青白冰上，卻有紅影無數，糾結如珊瑚網。我俯看腳下，有火燄在。

這是死火。有炎炎的形，但毫不搖動，全體冰結，像珊瑚枝；尖端還有凝固的黑煙，疑這纔從火宅中出，所以枯焦。這樣，映在冰的四壁，而且互相反映，化爲無量數影，使這冰谷，成紅珊瑚色。

哈哈！

當我幼小的時候，本就愛看快艦激起的浪花，洪鑪噴出的烈燄。不但愛看，還想看清。可惜他們都息息變幻，永無定形。雖然凝視又凝視，總不留下怎樣一定的迹象。

死的火燄，現在先得到了你了！

我拾起死火，正要細看，那冷氣已使我的指頭焦灼；但是，我還熬着，將他塞入衣袋中間。冰谷四面，登時完全青白。我一面思索着走出冰谷的法子。

我的身上噴出一縷黑煙，上升如鐵線蛇。冰谷四面，又登時滿有紅燄流動，如大火聚，將我包圍。我低頭一看，死火已經燃燒，燒穿了我的衣裳，流在冰地上了。

「唉，朋友！你用了你的溫熱，將我驚醒了。」他說。

我連忙和他招呼，問他名姓。

「我原先被人遺棄在冰谷中，」他答非所問地說，「遺棄我的早已滅亡，消盡了。我也被冰凍凍得要死。倘使你不給我溫熱，使我重行燒起，我不久就須滅亡。」

「你的醒來，使我歡喜。我正在想着走出冰谷的方法；我願意攜帶你去，使你永不冰結，永得燃燒。」

「唉唉！那麼，我將燒完！」

「你的燒完，使我惋惜。我便將你留下，仍在這里罷。」

「唉唉！那麼，我將凍滅了！」

「那麼，怎麼辦呢？」

「但你自己，又怎麼辦呢？」他反而問。

「我說過了：我要出這冰谷……。」

「那我就不如燒完！」

他忽而躍起，如紅彗星，并我都出冰谷口外。有大石車突然馳來，我終于碾死在車輪底下，但我還來得及看見那車就墜入冰谷中。

「哈哈！你們是再也遇不着死火了！」我得意地笑着說，彷彿就願意這樣似的。

一九二五年四月二十三日。

狗的駁詰

我夢見自己在隘巷中行走，衣履破碎，像乞食者。

一條狗在背後叫起來了。

我傲慢地回顧，叱咤說：

「呔！住口！你這勢利的狗！」

「嘻嘻！」他笑了，還接着說，「不敢，愧不如人呢。」

「什麼!?」我氣憤了，覺得這是一個極端的侮辱。

「我慚愧：我終于還不知道分別銅和銀；還不知道分別布和綢；還不知道分別官和民；還不知道分別主和奴；還不知道……。」

我逃走了。
「且慢！我們再談談……。」他在後面大聲挽留。
我一徑逃走；儘力地走，直到逃出夢境，躺在自己的床上。

一九二五年四月二十三日。

失掉的好地獄

我夢見自己躺在床上，在荒寒的野外，地獄的旁邊。一切鬼魂們的叫喚無不低微，然有秩序，與火焰的怒吼，油的沸騰，鋼叉的震顫相和鳴，造成醉心的大樂，布告三界：地下太平。

有一偉大的男子站在我面前，美麗，慈悲，遍身有大光輝，然而我知道他是魔鬼。

「一切都已完結，一切都已完結！可憐的鬼魂們將那好的地獄失掉了！」他悲憤地說，于是坐下，講給我一個他所知道的故事——

「天地作蜂蜜色的時候，就是魔鬼戰勝天神，掌握了主宰一切的大威權的時候。他收得天國，收得人間，也收得地獄。他于是親臨地獄，坐在中央，遍身發大光輝，照見一切鬼衆。

「地獄原已廢弛得很久了：劍樹消却光芒；沸油的邊際早不騰湧；大火聚有時不過冒些青煙，遠處還萌生曼陀羅花，花極細小，慘白可憐。」那是不足爲奇的，因爲地上曾經大被焚燒，自然失了他的記沃。

「鬼魂們在冷油溫火裏醒來，從魔鬼的光輝中看見地獄小花，慘白可憐，被大蠱惑，倏忽間記起人世，默想至不知幾多年，遂同時向着人間，發一聲反獄的絕叫。

「人類便應聲而起，使義執言，與魔鬼戰鬪。戰聲遍滿三界，遠過雷霆。終于運大謀略，布大網羅，使魔鬼並且不得不從地獄出走。最後的勝利，是地獄門上也豎了人類的旌旗！

「當鬼魂們一齊歡呼時，人類的整飭地獄使者已臨地獄，坐在中央，用了人類的威嚴，叱咤一切鬼衆。

「當鬼魂們又發一聲反獄的絕叫時，即已成爲人類的叛徒，得到永劫沉淪的罰，遷入劍樹林的中央。

「人類于是完全掌握了主宰地獄的大威權，那威稜且在魔鬼以上。人類于是整頓廢弛，先給牛首阿旁以最高的俸草；而且，添薪加火，磨礪刀山，使地獄全體改觀，一洗先前頹廢的氣象。

「曼陀羅花立即焦枯了。油一樣沸；刀一樣銛；火一樣熱；鬼衆一樣呻吟，一樣宛轉，至于都不暇記起失掉的好地獄。

「這是人類的成功，是鬼魂的不幸……。

「朋友，你在猜疑我了。是的，你是人！我且去尋野獸和惡鬼……。」

一九二五年六月十六日。

墓碣文

我夢見自己正和墓碣對立，讀着上面的刻辭。那墓碣似是沙石所製，剝落很多，又有苔蘚叢生，僅存有限的文句——

「……于浩歌狂熱之際中寒；于天上看見深淵。于一切眼中看見無所有；于無所希望中得救。……」

「……有一游魂，化爲長蛇，口有毒牙。不以嚙人，自嚙其身，終以殞顛。……」

「……離開！……」

我繞到碣後，纔見孤墳，上無草木，且已頹壞。即從大闕口中，窺見死屍，胸腹俱破，中無心肝。而臉上卻絕不顯哀樂之狀，但濛濛如煙然。

我在疑惑中不及迴身，然而已看見墓碣陰面的殘存的文句——

「……抉心自食，欲知本味。創痛酷烈，本味何能知？……

「……痛定之後，徐徐食之。然其心已陳舊，本味又何由知？……

「……答我。否則，離開！……」

我就要離開。而死屍已在墳中坐起，口唇不動，然而說——

「待我成塵時，你將見我的微笑！」

我疾走，不敢反顧，生怕看見他的追隨。

一九二五年六月十七日。

頹敗綫的顫動

我夢見自己在做夢。自身不知所在，眼前卻有一間在深夜中緊閉的小屋的內部，但也看見屋上瓦松的茂密的森林。

板桌上的燈罩是新拭的，照得屋子裏分外明亮。在光明中，在破榻上，在初不相識的披毛的強悍的肉塊底下，有瘦弱渺小的身軀，爲飢餓，苦痛，驚異，羞辱，歡欣而顫動。弛緩，然而尚且豐腴的皮膚光潤了；青白的兩頰泛出輕紅，如鉛上塗了胭脂水。

燈火也因驚懼而縮小了，東方已經發白。

然而空中還彌漫地搖動着飢餓，苦痛，驚異，羞辱，歡欣的波諮……。

「媽！」約略兩歲的女孩被門的開閤聲驚醒，在草席圍着的屋角的地上爬起來了。

「還早哩，再睡一會罷！」她驚惶地說。

「媽！我餓，肚子痛。我們今天能有什麼喫的？」

「我們今天有喫的了。等一會有賣燒餅的來，媽就買給你。」她欣慰地更加緊握着掌中的小銀片，低微的聲音悲凉地發抖，走近屋角去一看她的女兒，移開草席，抱起來放在破榻上。

「還早哩，再睡一會罷。」她說着，同時擡起眼睛，無可告訴地一看破舊的屋頂以上的天空。

空中突然湧起了一個很大的波濤，和先前的相撞擊，迴旋而成旋渦，將一切幷我盡行淹沒，口鼻都不能呼吸。

我呻吟着醒來，窗外滿是如銀的月色，離天明還很遼遠似的。

我自身不知所在，眼前卻有一間在深夜中緊閉的小屋的內部，我自己知道是在續着殘夢。可是夢的年代隔了許多年了。屋的內外已經這樣整齊；裏面是青年的夫妻，一羣小孩子，都怨恨鄙夷地對着一個垂老的女人。

「我們沒有臉見人，就只因爲你，」男人氣忿地說。「你還以爲養大了她，其實正是害苦了她，倒不如小時候餓死的好！」

「使我委屈一世的就是你！」女的說。

「還要帶累了我！」男的說。

「還要帶累他們哩！」女的說，指着孩子們。

最小的一個正玩着一片乾蘆葉，這時便向空中一揮，彷彿一柄鋼刀，大聲說道：

「殺！」

那垂老的女人口角正在痙攣，登時一怔，接着便都平靜，不多時候，她冷靜地，骨立的石像似的站起來了。她開開板門，邁步在深夜中走出，遺棄了背後一切的冷罵和毒笑。

她在深夜中盡走，一直走到無邊的荒野；四面都是荒野，頭上只有高天，並無一個蟲鳥飛過。她赤身露體地，石像似的站在荒野的中央，于一剎那間照見過往的一切：飢餓，苦痛，驚異，羞辱，歡欣，于是發抖；害苦，委屈，帶累，于是痙攣；殺，于是平靜。……又于一剎那間將一切併合：眷念與決絕，愛撫與復讐，養育與殲除，祝福與咒詛……。她于是舉兩手盡量向天，口唇間漏出人與獸的，非人間所有，所以無詞的言語。

—65—

當她說出無詞的言語時，她那偉大如石像，然而已經荒廢的，頹敗的身軀的全面都顫動了。這顫動點點如魚鱗，每一鱗都起伏如沸水在烈火上；空中也即刻一同振顫，彷彿暴風雨中的荒海的波濤。

她于是擡起眼睛向着天空，并無詞的言語也沈默盡絕，惟有顫動，輻射若太陽光，使空中的波濤立刻迴旋，如遭颶風，洶湧奔騰于無邊的荒野。

我夢魘了，自己卻知道是因爲將手擱在胸脯上了的緣故；我夢中還用盡平生之力，要將這十分沈重的手移開。

一九二五年六月二十九日。

立論

我夢見自己正在小學校的講堂上預備作文、向老師請教立論的方法。

「難！」老師從眼鏡圈外斜射出眼光來，看着我，說。「我告訴你一件事：——

「一家人家生了一個男孩，合家高興透頂了。滿月的時候，抱出來給客人看，——大概自然是想得一點好兆頭。

「一個說：『這孩子將來要發財的。』他于是得到一番感謝。

「一個說：『這孩子將來要做官的。』他于是收回幾句恭維。

「一個說：『這孩子將來是要死的。』他于是得到一頓大家合力的痛打。

「說要死的必然，說富貴的許謊。但說謊的得好報，說必然的遭打。你……」

「我願意既不謊人，也不遭打。那麼，老師，我得怎麼說呢？」

「那麼，你得說：『啊呀！這孩子呵！您瞧！多麼……。阿唷！哈哈！Hehe! he, hehehehe。』」

一九二五年七月八日。

—68—

死後

我夢見自己死在道路上。

這是那里，我怎麼到這里來，怎麼死的，這些事我全不明白。總之，待到我自己知道已經死掉的時候，就已經死在那里了。

聽到幾聲喜鵲叫，接着是一陣烏老鴉。空氣很清爽，——雖然也帶些土氣息，——大約正當黎明時候罷。我想睜開眼睛來，他卻絲毫也不動，簡直不像是我的眼睛；于是想擡手，也一樣。

恐怖的利鏃忽然穿透我的心了。在我生存時，曾經玩笑地設想：假使一個人的死亡，只是運動神經的廢滅，而知覺還在，那就比全死了更可怕。誰知道我的預想覺的中了，我自己就在證實這預想。

聽到腳步聲，走路的罷。一輛獨輪車從我的頭邊推過；大約是重載的，軋軋地叫得人心煩，還有些牙齒酸。一定是太陽上來了。那座，我的臉是朝東的。但那郤沒有什麼關係。很覺得滿眼排紅，一切切察察的人聲，看熱鬧的。他們鬸起黃土來，飛進我的鼻孔，使我想打噴嚏了，但終於沒有打，僅有想打的心。

陸陸續續地又是腳步聲，都到近旁就停下，這有更多的低語聲；看的人多起來了。我忽然很想聽聽他們的議論。但同時想，我生存時說的什麼批評不值一笑的話，大概是逆心之論罷：挨死，就露了破綻了。然而這是聽；然而雖覺得不到結論，歸納起來不過是這樣〕

我十分高興，因為始終沒有聽到一個熟識的聲音。否則，或者

害得他們傷心；或則要使他們快意；或則要使他們加添些飯後閒談

的材料，多破費寶貴的工夫；這都會便我很抱歉。現在誰也看不

見，就是誰也不受影響。好了，總算對得起人了！

「噴……。唉！……」

「阿！……」

「唅。——這……。」

「死了？……」

但是，大約是一個馬蜂，在我的窗梁上爬着，癱瘓的。我一點

也不能動，已慈沒有除去他的能力了；倘在平時，只將身子一挺，

就能便他退避。而且，火腿上又展着一個哩！你們是做什麼的？兹

矛！？

—71—

非搞可更填了：嗡的一聲，就有一個青蠅停在我的顴骨上，走
了幾步，又一飛，開口便舐我的鼻尖。我懊惱地想：足下，我不是
什麼偉人，你無須到我身上來尋做論的材料……。但是不能說出來。
他卻從鼻尖跑下，又用冷舌頭來舐我的嘴唇了，不知道可是表示親
愛。還有幾個則聚在眉毛上，跨一步，我的毛根就一搖。實在使我
煩厭得不堪，——不堪之至。

忽然，一陣風，一片東西從上面蓋下來，他們就一同飛開了，
臨走時還說——

「惜哉！……」

我憤怒得幾乎昏厥過去。

木材轟在地上的鈍重的聲音同著地面的震動，使我忽然清醒；

前額上感着蘆席的條紋。但那蘆席就被掀去了，又立刻感到了日光的灼熱。還聽得有人說——

「怎麽要死在這里？……」

這聲音離我很近，他正彎着腰罷。但人應該死在那里呢？我先前以為人在地上雖沒有任意生存的權利，卻總有任意死掉的權利的。現在纔知道並不然，也很難適合人們的公意。可惜我久沒了紙筆；即有也不能寫，而且即使寫了也沒有地方發表了。只好就這樣地拋開。

有人來抬我，也不知道是誰。聽到刀鞘聲，還有巡警在這里罷，在我所不應該「死在這里」的這里。我被翻了幾個轉身，便覺得向上一舉，又往下一沉；又聽得蓋了蓋，釘着釘。但是，奇怪，只釘了兩個。難道這里的棺材釘，是只釘兩個的麽？

我想：這回是六面碰壁，外加釘子。真是完全失敗，嗚呼哀哉了！……

「氣悶！……」我又想。

然而我其實卻比先前已經寧靜得多，雖然知不清埋了沒有。在手背上觸到草席的條紋，覺得這屍衾倒也不惡。只不知道是誰給我化錢的，可惜！但是，可惡，收斂的小子們！我背後的小衫的一角皺起來了，他們並不給我拉平，現在抵得我很難受。你們以為死人無知，做事就這樣地草率麼？哈哈！

我的身體似乎比活的時候要重得多，所以壓着衣皺便格外的不舒服。但我想，不久就可以習慣的；或者就要腐爛，不至於再有什麼大麻煩。此刻還不如靜靜地靜着想。

「您好？您死了麼？」

是一個頗爲耳熟的聲音。睜眼看時，卻是勃古齋舊書鋪的跑外的小伙計。不見約有二十多年了，倒還是那一副老樣子。我又看看六面的壁，委實太毛糙，簡直毫沒有加過一點修刮，鋸絨還是毛毿毿的。

「那不礙事，那不要緊。」他說，一面打開暗藍色布的包裹來。「這是明板『公羊傳』，嘉靖黑口本，給您送來了。您留下他罷。這是……。」

「你！」我詫異地看定他的眼睛，說，「你莫非真正胡塗了？你看我這模樣，還要看什麼明板？……」

「那可以看，那不礙事。」

我即刻閉上眼睛，因爲對他很煩厭。停了一會，沒有聲息，他大約走了。但是似乎一個馬蟻又在頸子上爬起來，終於爬到臉上，只繞着眼眶轉圈子。

萬不料人的思想，是死掉之後也還會變化的。忽而，有一種力將我的心的平安衝破；同時，許多夢也都做在眼前了。幾個朋友祝我安樂，幾個讎敵祝我滅亡。我卻總是既不安樂，也不滅亡地不上不下地生活下來，都不能副任何一面的期望。現在又影一般死掉了，連讎敵也不使知道，不肯贈給他們一點惠而不費的歡欣。……

我覺得在快意中要哭出來。這大概是我死後第一次的哭。

然而終於也沒有眼淚流下；只看見眼前彷彿有火花一閃，我於是坐了起來。

一九二五年七月十二日。

這樣的戰士

要有這樣的一種戰士——

已不是蒙昧如非洲土人而背着雪亮的毛瑟槍的；也並不疲憊如中國綠營兵而卻佩着盒子礮。他毫無乞靈於牛皮和廢鐵的甲冑；他只有自己，但拿着蠻人所用的，脫手一擲的投槍。

他走進無物之陣，所遇見的都對他一式點頭。他知道這點頭就是敵人的武器，是殺人不見血的武器，許多戰士都在此滅亡，正如礮彈一般，使猛士無所用其力。

那些頭上有各種旗幟，繡出各樣好名稱：慈善家，學者，文士，長者，青年，雅人，君子……。頭下有各樣外套，繡出各式好花樣：學問，道德，國粹，民意，邏輯，公義，東方文明……。

但他舉起了投槍。

他們都同聲立了誓來講說，他們的心都在胸膛的中央，和別的偏心的人類兩樣。他們都在胸前放着護心鏡，就爲自己也深信心在胸膛中央的事作證。

但他舉起了投槍。

他微笑，偏側一擲，卻正中了他們的心窩。

一切都頹然倒地；——然而只有一件外套，其中無物。無物之物已經脫走，得了勝利，因爲他這時成了戕害慈善家等類的罪人。

但他舉起了投槍。

他在無物之陣中大踏步走，再見一式的點頭，各種的旗幟，各樣的外套……。

但他舉起了投鎗。

他終於在無物之陣中老衰，壽終。他終於不是戰士，但無物之物則是勝者。

在這樣的境地裏，誰也不聞戰叫：太平。

太平……。

但他舉起了投槍！

一九二五年十二月十四日。

聰明人和傻子和奴才

奴才總不過是尋人訴苦。只要這樣，也只能這樣。有一日，他遇到一個聰明人。

「先生！」他悲哀地說，眼淚聯成一線，就從眼角上直流下來。「你知道的。我所過的簡直不是人的生活。吃的是一天未必有一餐，這一餐又不過是高粱皮，連豬狗都不要吃的，尚且只有一小碗……。」

「這實在令人同情。」聰明人也慘然說。

「可不是麼！」他高興了。「可是做工是晝夜無休息的：清早

—80—

燒水晚燒飯，上午跑街夜磨麵，晴洗衣裳雨張傘，冬燒汽鑪夏打扇。半夜要燉銀耳，待候主人要錢；頭錢從來沒分，有時還挨皮鞭……。」

「唉唉……。」聰明人歎息着，眼圈有些發紅，似乎要下淚。

「先生！我這樣是敷衍不下去的。我總得另外想法子。可是什麼法子呢？……」

「我想，你總會好起來……。」

「是麼？但願如此。可是我對先生訴了冤苦，又得你的同情和慰安，已經舒坦得不少了。可見天理沒有滅絕……。」

但是，不幾日，他又不平起來了，仍然尋人去訴苦。

「先生！」他流着眼淚說，「你知道的。我住的簡直比豬窠還不如。主人並不將我當人；他對他的叭兒狗還要好到幾萬倍……。」

「混帳！」那人大叫起來，使他吃驚了。那人是一個傻子。

「先生，我住的只是一間破小屋，又溼，又陰，滿是臭蟲，睡下去就咬得真可以。穢氣衝着鼻子，四面又沒有一個窗……。」

「你不會要你的主人開一個窗的麼？」

「這怎麼行？……」

「那麼，你帶我去看去！」

傻子跟奴才到他屋外，動手就砸那泥牆。

「先生！你幹什麼？」他大驚地說。

「我給你打開一個窗洞來。」

「這不行！主人要罵的！」

「管他呢！」他仍然砸。

「人來呀！强盜在毀咱們的屋子了！快來呀！遲一點可要打出窟窿來了！……」他哭喊着，在地上團團地打滾。

一羣奴才都出來了，將傻子趕走。

聽到了喊聲，慢慢地最後出來的是主人。

「有强盜要來毀咱們的屋子，我首先叫喊起來，大家一同把他趕走了。」他恭敬而得勝地說。

「你不錯。」主人這樣誇奬他。

這一天就來了許多慰問的人，聰明人也在內。

「先生。這回因爲我有功，主人誇奬了我了。你先前說我總會好起來，實在是有先見之明……。」他大有希望似的高興地說。

「可不是麼……。」聰明人也代爲高興似的回答他。

一九二五年十二月二十六日。

—84—

臘葉

燈下看「雁門集」，忽然翻出一片壓乾的楓葉來。

這使我記起去年的深秋。繁霜夜降，木葉多半凋零，庭前的一株小小的楓樹也變成紅色了。我曾繞樹徘徊，細看葉片的顏色，當他青葱的時候是從沒有這麼注意的。他也並非全樹通紅，最多的是淺絳；有幾片則在緋紅地上，還帶着幾團濃綠。一片獨有一點蛀孔，鑲着烏黑的花邊，在紅，黃和綠的斑駁中，明眸似的向人凝視。我自念：這是病葉呵！便將他摘了下來，夾在剛才買到的「雁門集」裏。大概是願使這將墜的被蝕而斑斕的顏色，暫得保存，不即與羣葉一同飄散罷。

但今夜他卻黃蠟似的躺在我的眼前，那眸子也不復似去年一般灼灼。假使再過幾年，舊時的顏色在我記憶中消去，怕連我也不知道他何以夾在書裏面的原因了。將墜的病葉的斑斕，似乎也只能在極短時中相對，更何況是蔥鬱的呢。看看窗外，很能耐寒的樹木也早經禿盡了；楓樹更何消說得。當深秋時，想來也許有和這去年的模樣相似的病葉的罷，但可惜我今年竟沒有賞玩秋樹的餘閒。

一九二五年十二月二十六日。

淡淡的血痕中

——記念幾個死者和生者和未生者——

目前的造物主，還是一個怯弱者。

他暗暗地使天變地異，卻不敢毀滅一個這地球；暗暗地使生物衰亡，卻不敢長存一切屍體；暗暗地使人類流血，卻不敢使血色永遠鮮穠；暗暗地使人類受苦，卻不敢使人類永遠記得。

他專爲他的同類——人類中的怯弱者——設想，用廢墟荒墳來襯託華屋，用時光來沖淡苦痛和血痕；日日斟出一杯微甘的苦酒，不太少，不太多，以能微醉為度，遞給人間，使飲者可以哭，可以歌，也如醒，也如醉，若有知，若無知，也欲死，也欲生。他必須使一切也欲生；他還沒有滅盡人類的勇氣。

幾片廢墟和幾個荒墳散在地上，映以淡淡的血痕，人們都在其間咀嚼着人我的渺茫的悲苦。但是不肯吐棄，以為究竟勝於空虛，各各自稱為「天之僇民」，以作咀嚼着人我的渺茫的悲苦的辯解，而且悚息着靜待新的悲苦的到來。新的，這就使他們恐懼，而又渴欲相遇。

這都是造物主的良民。他就需要這樣。

叛逆的猛士出於人間；他屹立着，洞見一切已改和現有的廢墟和荒墳，記得一切深廣和久遠的苦痛，正視一切重疊淤積的凝血，深知一切已死，方生，將生和未生。他看透了造化的把戲；他將要起來使人類蘇生，或者使人類滅盡，這些造物主的良民們。

造物主，怯弱者，羞慚了，於是伏藏。天地在猛士的眼中於是變色。

一九二六年四月八日。

一覺

飛機負了擲下炸彈的使命，像學校的上課似的，每日上午在北京城上飛行。每聽得機件搏擊空氣的聲音，我常覺到一種輕微的緊張，宛然目視了「死」的襲來，但同時也深切地感着「生」的存在。

隱約聽到一二爆發聲以後，飛機嗡嗡地叫着，冉冉地飛去了。也許有人死傷了罷，然而天下卻似乎更顯得太平。窗外的白楊的嫩葉，在日光下發烏金光；榆葉梅也比昨日開得更爛漫。收拾了散亂滿牀的日報，拂去昨夜聚在書桌上的蒼白的微塵，我的四方的小書齋，今日也依然是所謂「窗明几淨」。

因爲或一種原因，我開手編校那彌來積壓在我這裏的青年作者的文稿了；我要全都給一個清理。我照作品的年月看下去，這些不肯塗脂抹粉的青年們的魂靈便依次屹立在我眼前。他們是綽約的，是純真的，——阿，然而他們苦惱了，呻吟了，憤怒，而且終於粗暴了，我的可愛的青年們！

魂靈被風沙打擊得粗暴，因爲這是人的魂靈，我愛這樣的魂靈；我願意在無形無色的鮮血淋漓的粗暴上接吻。漂渺的名園中，奇花盛開着，紅顏的靜女正在超然無事地逍遙；鶴唳一聲，白雲鬱然而起……。這自然使人神往的罷，然而我總記得我活在人間。

我忽然記起一件事：兩三年前，我在北京大學的教員預備室裏，看見進來了一個並不熟識的青年，默默地給我一包書，便出去了，打開看時，是一本「淺草」。就在這默默中，使我懂得了許多話。啊，這贈品是多麼豐饒啊！可惜那「淺草」不再出版了，似乎只成了「沈鐘」的前身。那「沈鐘」就在這風沙澒洞中，深深地在人海的底裏寂寞地鳴動。

野薊經了幾乎致命的摧折，還要開一朵小花，我記得託爾斯泰曾受了很大的感動，因此寫出一篇小說來。但是，草木在旱乾的沙漠中間，拚命伸長他的根，吸取深地中的水泉，來造成碧綠的林莽，自然是為了自己的「生」的，然而使疲勞枯渴的旅人，一見就怡然覺得遇到了暫時息肩之所，這是如何的可以感激，而且可以悲哀的事!?

「沈鐘」的「無題」——代啓事——說：「有人說，我們的社會是一片沙漠。——如果當真是一片沙漠，這雖然荒漠一點也還靜肅；雖然寂寞一點也還會使你感覺蒼茫。何至於像這樣的混沌，這樣的陰沈，而且這樣的離奇變幻！」

是的，青年的魂靈屹立在我眼前，他們已經粗暴了，或者將要粗暴了，然而我愛這些流血和隱痛的魂靈，因為他使我覺得是在人間，是在人間活着。

在編校中夕陽居然西下，燈火給我接續的光。各樣的青春在眼前一一馳去了，身外但有昏黃環繞。我疲勞着，捏着紙煙，在無名的思想中靜靜地合了眼睛，看見很長的夢。忽而驚覺，身外也還是環繞着昏黃；煙篆在不動的空氣中上升，如幾片小小夏雲，徐徐幻出難以指名的形象。

一九二六年四月十日。

未名叢刊與烏合叢書

魯迅編

所謂未名叢刊者，並非無名叢書之意，乃是還未想定名目，然而這就作為名字，不再去苦想他了。這也並非學者們精選的寶書，凡國民都非看不可。只要有稿子，有印費，便即付印，想使蕭索的讀者，作者，譯者，大家稍微感到一點熱鬧。內容自然是很龐雜的，因為希圖在這龐雜中略見一致，所以又一括而為相近的形式，而名之曰未名叢刊。大志向是絲毫也沒有。所願的：無非（1）在自己，是希望那印成的從速賣完，可以收回錢來再印第二種．（2）對於讀者，是希望看了之後，不至於以為太受欺騙了。以上是一千九百二十四年十二月間的話。

現在將這分為兩部分了。未名叢刊專收譯本；另外又分立了一種單印不關緊要的作者的創作的，叫作烏合叢書。

烏合叢書

吶喊　實價七角

魯迅的短篇小說集，從一九一八至二二年的作品都在內，計十五篇，前有自序一篇。

故鄉　實價八角

許欽文的短篇小說集。由長虹與魯迅將從最初至一九二五年止的作品嚴加選擇，留存二十二篇，作者的以熱心冷面，來表現鄉村，家庭，現代青年的內生活的特長，在這一冊裏顯得格外挺秀。陶元慶畫封面。

心的探險　實價六角

長虹的散文及詩集。將他的以虛無爲實有，而又反抗這實有的精悍苦痛的戰叫，盡情地吐露着。魯迅選並畫封面。

飄渺的夢及其他　實價五角

向培良的短篇小說集，魯迅選定，從最初以至現在的作品中僅留十四篇。革新與念舊，直前與回顧；他自引明波樂夫的散文詩道：矛盾，矛盾，矛盾，這是我們的生活，也就是我們的真理。司徒喬畫封面。

彷徨 實價八角

魯迅的短篇小說集第二本。從一九二四至二五年的作品都在內，計十一篇。陶元慶畫封面。

野草 實價三角半

野草可以說是魯迅的一部散文詩集，用優美的文字寫出深奧的哲理，在魯迅的許多作品中，是一部風格最特異的作品。

以上六種

北新書局印行

北京東皇城根二三號

未名叢刊

苦悶的象徵 實價五角

日本廚川白村作文藝論四篇，魯迅譯。插畫四幅，作者照象一幅。陶元慶畫封面。

蘇俄的文藝論戰　實價三角半

褚沙克等的論文四篇，任國楨輯譯。可以看見新俄國文壇的論辯的一斑。附錄一篇，是用經濟學說於文　上的。

十二個　實價三角五分

俄國勃洛克作長詩，胡斅譯。作者原是有名的都會詩人，這一篇寫革命時代的變化和動搖，尤稱一生傑作，譯自原文，又歷經校定，和重譯的頗有不同，尚有託羅茲基的勃洛克論一篇，魯迅作後記，加以解釋。又有縮印的俄國插畫名家瑪修丁木刻四幅，卷頭有作者的畫象。

工人綏惠略夫　實價六角

俄國阿爾志跋綏夫作。魯迅翻譯。是極有名的一篇描寫革命失敗後社會心情的小說。或者逝入人道主義，或者激成虛無思想，沈痛深刻，是用心血寫就的。曾經印行，現收入本叢書中。有序及作者肖像。

譯。插圖四幅，又作者照象一幅。

陶元慶畫封面。

往星中　實價四角半

俄國安特列夫作，李霽野譯。是反映一個時代的名劇，表現一九〇五年俄國革命失敗後社會上矛盾和混亂的心緒的。韋素園序，陶元慶畫封面。

窮人　實價六角半

俄國陀思妥夫斯基作，韋叢蕪譯。

這是作者的第一部，也是即刻使他成爲大家的書簡體小說，人生的困苦和悅樂，崇高和卑下，以及留戀和訣絕，都從一個少女和老人的通信中寫出。譯者對比了數種譯本，並由韋素園用原文校定，這纔印行，其正確可想。魯迅序。前有作者畫象一幅，並用其手書及法人歐樂頓畫象作封面。

外套　實價三角

俄國果戈理作，韋素園譯。這是一篇極有名的諷刺小說，然而詼諧中既有歐稿，冷語裏仍見同情；惜別日譯本每有刪去之處，今從原文譯出，最為完全。卷頭有詳細的序文及作者畫象。

小約翰　　印刷中

荷蘭望藹覃作，魯迅譯。是用象徵來寫實的童話體散文詩。敘約翰原是大自然的朋友，因為要求知，終於成為他所憎惡的人類了。前有近世荷蘭文學大略，作者的評傳及照像。

白茶　　定價五角

這是五篇蘇俄獨幕劇的結集，曹靖華從蘇俄最有名的文學雜誌中選譯出，在中國這是第一部介紹蘇俄戲劇的集子。很能夠給注意蘇俄戲劇者以新的供獻，同時又可供排演家以新的材料。司徒喬畫封面。

此外要緊出的，還有：

罪與罰　俄國陀斯妥夫斯基小說。　韋叢蕪譯

格里佛遊記(全譯)　英國斯惠夫德小說。　韋叢蕪譯

黑假面　俄國安特列夫戲劇。　李霽野譯

北京馬神廟西老胡同一號

未名社刊物經售處發行。

烏合叢書之一

野草

實價三角半

北京東廠胡同西口外路北

北新書局

發行

從深處出

柳風 著

柳風（1905～1980），原名甄永安，河北大名人。

海音書局（北京）一九二七年七月出版。原書六十四開。

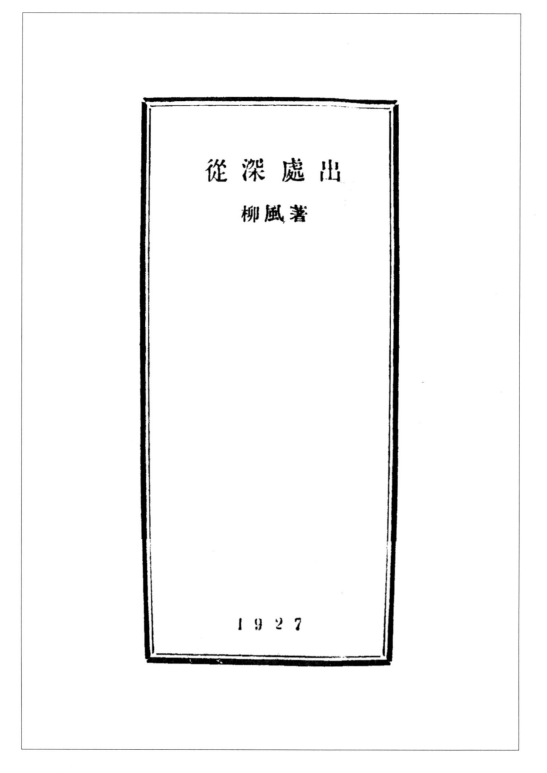

從深處出

柳風著

1927

從深處出

柳風著

海音社短歌叢書之三

都是夜間醒來的雞兒，
可讓誰先唱呢？

2

更添了黑霧的凶濤呵！

——這深夜的喇叭聲。

3

黑夜有什麼罪過呢？

狗兒這樣旺旺的詛咒。

4

鴨兒得意的和雲浮在水裏。

5

狂人的石子投到池裏，

水珠兒飛起來——又落下去。

6

孤雁！

請振翅高飛————————

尋你自己的前程。

2

7

狂風中理不順的絲啊！

8

東方要亮了，

　情人還做着香甜的夢呢！

9

任風吹吧，

　風口的小草！

10

哪裏有什麼人生，

　黑暗中一顆小星罷了。

11

誰是望星的人兒呢？

　找不到母親的孩子啊！

12

紅葉順流漂去了，
來日呀！
　蒼海中也許添點異樣的波折嗎？

13

儘是擘桀的人兒，
　踏遍了田野，
　穿盡了山河。

14

烈日下，
　掙扎在污泥裏的蝌蚪呵！

15

朗月——是詩人的心吧？
　普照着全世，
　光潤了衆生。

16

4

黃葉敗脫下來，
　狂風又花花的笑了。

17

夜風嗚嗚的邁過房脊，
　孩子又緊抱了抱媽媽。

18

誰指望過去呢，
　這獨木的橋梁。

19

她看見階前戰死的螞蟻，
　不由得對着懷裏的小孩流淚了。

20

忽憶起懷裏的花兒，
　眼眉也跳着笑了。

21

進屋一聲温柔的慰語，
　消去我在外一天的疲勞。

22

我長了一身疥，
　只忍着刺癢，
　　向人作揖。

23

煩悶了
　低頭狂走啵，
快活生自温柔裏。

24

牧人呀！
　領羊們到平原去吧，
　　讓牠們也任意的跑一跑。

25

我向西山去，
月從東海來；
　黑暗的影子，
　　擺在眼前。

26

我無意的從她門前走過，
正在響着的搖布聲——
　忽然加重了。

27

蜂兒還沒來麼？
　花心要碎了。

28

在我身後放手槍的，
　是當日知心的朋友呵！

29

7

上帝啊！
　當小狗兒受了傷狂叫的時候，
　　牠的母親哪裡去了？

30

都是水面的波動，
　風吹的和魚撥的
　　却是兩樣。

31

照在水裏的和懸在空中的太陽，
　都是一樣的眈眼呵！

32

笑呵！
　你怎麼含着：
　　玩弄，欺詐？

33

8

太陽射出紅色的熱光，
　哪裏求反映！

34

世界的一切——萬物，動和靜，
　　原來都是我們的參考書。

35

「愛」，
　是離了弦的矢，
　　要有一定的歸宿。

36

樹呵！
　小心着，
　　北風颳盡了你的葉兒
　　還要折你的枝條呢！

37

看搖蕩不定的花兒，
　正聽蜜蜂的唱歌呢！

38

最難的事情，
　是求人
　　尤其是錢財！

39

羊兒何必跑呢？
　狼就不怕牠麼！

40

被雨隔住的蜜蜂，
　落在
　　下垂的花上。

41

涼風從窗口進來，

撲在酣睡着的臉上。

42

只是放情的唱呵！
臥在花心裏的蜜蜂。

43

夜間窗隙裏射進來的星光，
對睡不着的人展眼。

44

激——蕩
激蕩，
我心湖裏的水，
不住的
激——蕩。

45

樹上鳥兒的歌唱

呼喚得河水粼粼亂跑。

46

在友人書裏遇到一根長髮，
這是誰的紀念呢？

47

是懷着的小孩吧？
心裏跳跳的詩句。

48

懶懶的水虫，
被孩子捉住，
送到小鴨兒嘴裏。

49

看多麼鮮艶呵！
嫩芽兒傍着新花。

0

幻想的燈兒
　徘徊在黑暗的山谷裏，
它的滋味呵！
　——陰……濕——

51

蛙呵！蛙呵！
　儘唱着重復的歌調？

52

黑影走進白霧裏，
　漸漸的掛上一層灰了。

53

誰想找沒風的地方呢？
　請在這狂飇裏快着走吧！

54

淸淸的草地，

誰會愛它呢？
　牛兒吃過去，
　人兒踏過去。

55

黑夜醒來的人兒，
　請快唱歌吧；
聽雞兒聲聲相和呢！

56

聽她放下孩子奔向奸夫
　華麗行車時的烘烘心跳聲！

57

鳥在冬日孵卵了，
　看後悔裏的奔波呵！

58

坐在愛人的椅上，

覺着被香甜的氣兒抱住了。

59

不能在沒人處相見時，
　只望在沒人處相見，
但是見面後又說些什麼呢？

60

我是波後的小魚兒，
　儘逐著前浪浮沉。

1

惡夢醒來，
　平靜些吧——
　　凶跳跳的心！

62

輕風浮過——
　湖面上，

15

小魚兒翻身映青天。

63

我容容的心潮又湧湧在——
蕭聲起處。

64

月光下，愛人兒牽手徘徊着，
看影兒相碰
好生笑人。

65

黃昏時——
這層黑霧
誰拭去呢？
——蜂巢到花間。

66

枯葉掙扎到浪尖了，

萬象都活動起來。

67

是想留個痕跡麼？
——沙灘上擦着脚走的那孩兒！

68

朝陽射進來也，
沉霧棉絮似的被燒了。

69

她笑對着兩枝纏繞的花兒，
撫髮浸浸的想……

70

誰又在街上丟臉呢！
惹得大家這樣笑。

71

暗自投淚吧！

17

看到打着孤雁的寡婦。

72

曉月沉也，
失戀了呵！
窗前孤帳內的燈兒。

73

遠地摘花，
中途擲下，
被棄者的象徵呵！

74

天旱來，
擺也——擺也，
高屋頂的小草呵。

75

扔下琴兒，

打個飛脚，
　怕死了也——
　　褲襠裏的跳蚤。

76

晨鳥！
　你這清脆的歌唱，
　　是昨夜月色的使命麼？

77

帷簾外，
　是誰張望呢？
　　——只把影兒刺我的眼。

78

落在畫片上的蝶兒！
　可也做做人間的夢麼？

79

柔風拂着的廊下，
對書朦睡的人哪！
　春思繫着誰呢？

80

半夜醒了，
屋內是漆黑黑的
　只聽得窗外的風在狂叫。

81

對月高歌嗎？
酒汁似的光芒
　飲得要醉了！

82

靜默的黑夜，
我突而走出了屋門——
　滿天的星光！

83

夜間呼呼的大風，
我正在牀上躺着—
　靈魂也要漂泊一時了！

84

其早歸也！
　莫待酒闌人散，
　　只落得閒愁萬重，
　——螞蟻一步一步的回到窩裏。

85

整日遊湖，
　復何所得！
波紋層疊中盡是她的影兒。

86

浪子對岸唱，

21

浪心隔岸跳；
　浪子唱音高了，
　浪心跳也急了；
　　浪子唱喉乾了，
　　浪心還拍拍跳跳着呢！

87

幾時才能到那海濱！
看波浪滚滚
　　活躍在
　　　死沉沉的石上。

88

「恨不得和你混成一個！」
　長鬚在長髮上說。

89

這還少點兒心跳，

——黃蜂一直吃到花落時。

90

海濱上的朋友！
　早潮先來呢？
　晨雞先叫呢？

91

相思，
　是沒用的，
　也是不能禁止的。

92

情感眞淘氣！
　催起睡下的詩人，
　　替牠留個踪跡。

93

晨光好似火線

23

燒破夜來蓬蓬的霧網。

94

「往返這般不容易啊！」
快到家的道路上，
　無意中念出的句子。

95

看見風箏飛起了，
這還是在深秋——
　然而我憶到可愛的故鄉之春了！

96

聽花浪花浪的——
　海音從曉風裏潶來。

97

看花離遠些兒吧！
　省得——

驚起了蝴蝶，
急碎了花心。

98

半纏足的比裹小脚的還可惜啊！

99

青年的朋友啊！
全是一樣的目的，
異道就不如同行！

100

沉春——
鳥兒都相對壓翅不語，
但沉沉的春更沉沉了。

25

柳風著

從深處出

實價一角

北京海音書局發行

東城沙灘中間三十二號

1927年7月出版

花木蘭文化事業有限公司聲明啓事

此次《民國文學珍稀文獻集成》出版，有賴各位作者家屬大力支持，慨然允贈版權，遂使這巨大的文化工程得以開展。本公司全體同仁在此向各位致以誠摯的謝意！

由於民國作者人數眾多，年代久遠且戰火頻繁，本公司傾全力尋找，遍訪各地，能夠找到的後人，得其親筆授權者，爲數甚寡。更多的情況是，因作者本人下落不明，連版權情況都無從知曉。

因此，本公司鄭重聲明：

此叢書所錄專著，凡有在版權期內而未授權者，作者家屬可與本公司聯繫，本公司願奉送相關贈書 50 冊爲報酬，補簽授權協議。

望家屬看到此通知後與本公司聯繫。聯繫信箱：hml@vip.163.com

花木蘭文化事業有限公司

海夜歌聲

柯仲平 著

柯仲平（1902～1964），原名柯維翰，生於雲南廣南。

光華書局（上海）一九二七年八月出版。原書三十二開。

海夜歌聲
柯仲平作
1927

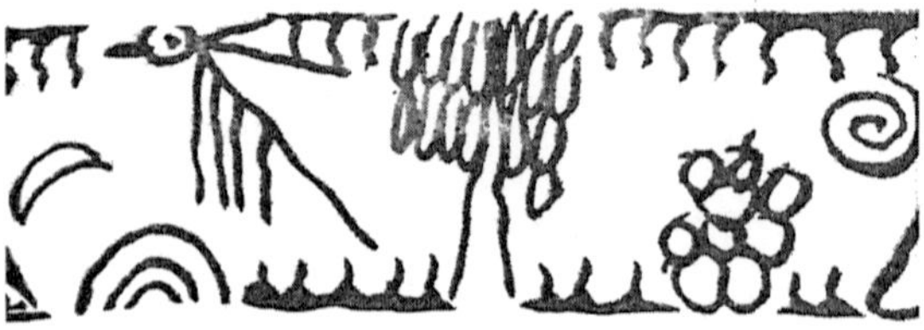

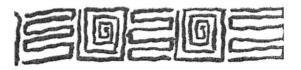

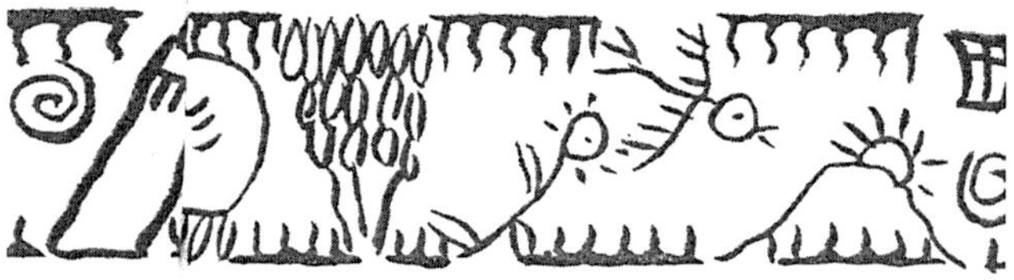

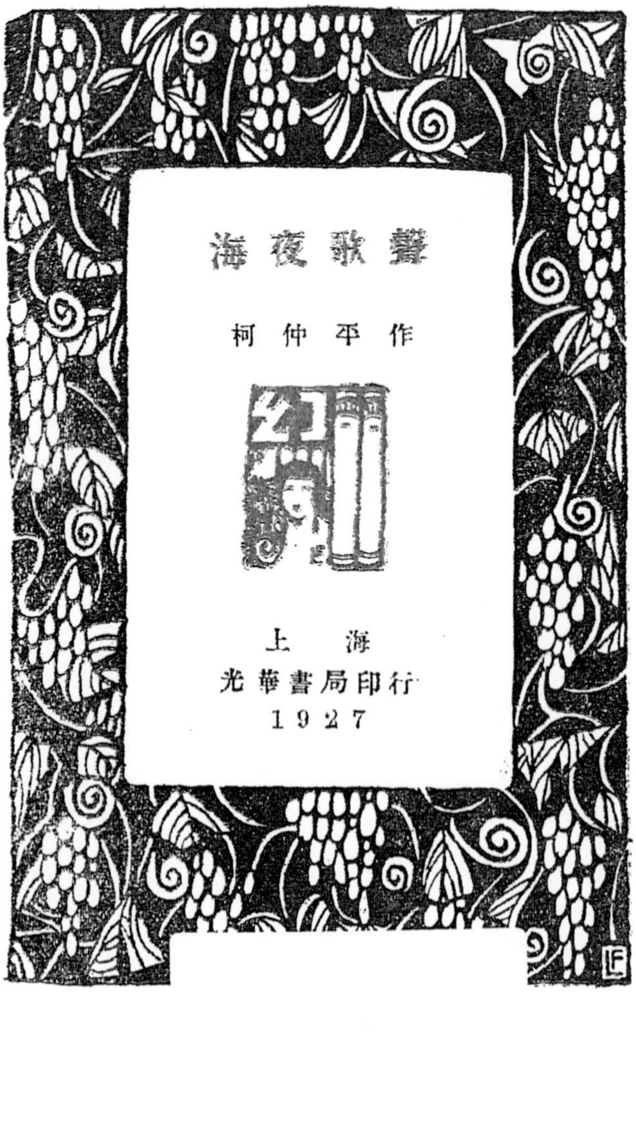
海夜歌聲
柯仲平作
上　海
光華書局印行
1927

十 六 年 八 月 出 版
1—2000冊

每冊實售四角五分
上海四馬路光華書局發行

目　錄

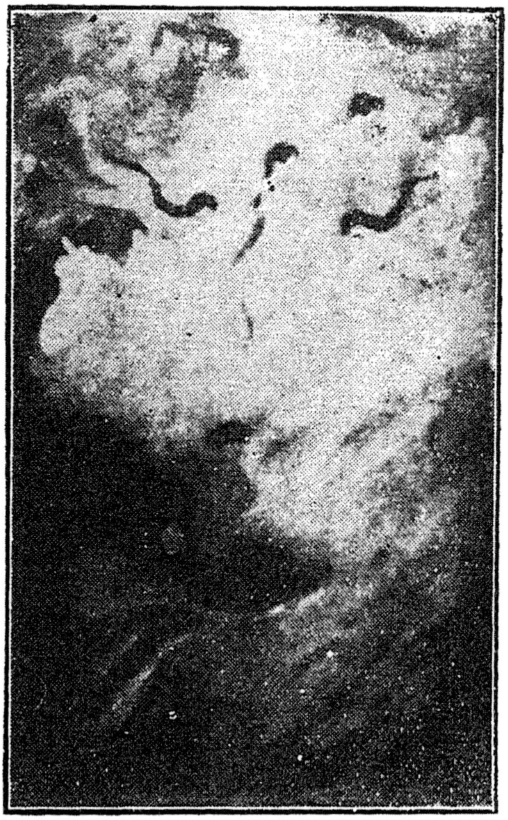

海夜歌聲　月秋作

冠在海夜歌聲前

全平啊，這歌未到你手恐怕我已入墓地，
其實我們生活那時不在墓地呢？
　　我將這個孤兒托把你，
　　最後一次呼吸想到你們對我的恩情呀；
想到恩情
　　也惟暗自感激與流泣；
　　托孤懷着無限悲涼意，
　　生在詩歌死在詩歌裏，

悲涼意——我生未能奏半我情曲！
過去，過去，一切已將成過去，
墓地之中快把孤兒含愁寄交你！

日當正午爲甚天色暮？
何來狂風健在已奏最後歌！
這原不是神經過敏呵，
朝不保夕已是千眞而萬確；
我！呵！我！假若還有一人紀念我，
這個孤兒便算一墓角。

從來我就愛到荒野去聽狂風歌，

我也愛登山頂去看日出與日落，狂風歌看日落，

宇宙原是一座大墳墓，天色雖晚啊，

時間早在墳墓裏面諧我永永爲着人生奏哀歌。

有人要借‘權勢’暗算我，

這篇遺稿我怕被燒却；

過去雖然是墳墓，啊，

墳墓之中還見一個狂奔着的我。

敎徒殉敎我殉歌，

千刀以下還想把我詩歌暗懷着，

過去生活對於詩歌無分你和我，

數萬行的明日大曲固已不能再續作，

我甘暗算爲甚也要連累我的過去歌？

墳墓啊！墳墓！從來我的戰地也都是墳墓！

全平啊！讓我喚你一聲‘好哥哥’，——

這是悲酸感激的情意如此摧促我；

我把我的孤兒向你托，

養成或能到你洪水之中一唱赴戰歌；

從前我望此子掙點酒飯生祭我，

差不多，百日前的一個寒月夜，

唉！此子一年已過遍尋無工作，

還冷中的爆燥我幾把牠變成一把火；

哥哥：如今我已臨危還要酒飯來做死祭麼？

向你托！啊！今日我就悵望黃浦把這孤

兒向你托！

十五年二月二十二日仲平北京

【一個緊要的希望——讀者能反平素誦

詩的調子一唱麼？有梗喉的字句，

假若歌的情調還能牽引你，起來吧

！跳出屋外吧！昂昂沈沈地唱吧!】

仝日，仲平.

寄我兒海夜歌聲

兒呀！不生你，
　　娘的情懷向誰敘；
　　生了你，你可知
　　你那爹爹他是甚麼人？

呵！那湖心一孤島，
　　湖邊的荷葉蘆葦已蕭條；
風物任是蕭條，
娘的情火熊熊燒。

呵！那湖好像昆池，
　　池島上有要齋戒的一座寺，
兒呀，你爹既已爲着情愛生，
　　難道娘得不爲情愛死！

啊！是耐不住的一小程，
　　天地與娘情，——心心與心心，
　　歡樂而有慮，
　　無意間，孕了你這小精靈。

娘忍着人間的鄙夷與苦辛，
你爹爹又是個不屈不撓之人；
兒呀！娘這樣的處境，
　　　娘無片布遮兒身！

兒下世，好容易，
　　娘的處境娘多病；
兒呀！剛生下兒的頭，
　　　牠們就要娘的命。

娘願以生換兒生，
兒呀！你這宇宙的一點精靈，
　　奈何呢！那時娘僅有心而沒氣，
　　淚眼望着個有頭而沒身的可憐人。

娘抉病難起，
娘盡娘的最後愛兒心；
可巧那晨來了一個人，
他是娘恩愛的朋友又先生。

兒呀！那位先生看了你，

他的呼吸緊張而逼急，

他只連道了聲‘壯呀！壯的很！’

兒呵！娘的熱度更增，只娘沒氣又沒力！

娘懷着兒的上身入病院，

當苦朋友的寒衣得九塊，

慈愛的達夫她送來十元，

兒呀，你總知道的，——娘友都是苦艱

啊！娘的月秋抱娘大小便，

　　累她多少日難得合眼；

　　娘的好友朱靜庵，

　　整天整夜的，在娘的床後床前。

兒呵！盡所有的款貲夠九天，

　　九天後的那晨，醫生來說：

"還要打針的，再住幾天……"
呀！我說他殷勤的先生呵，誰迫娘出院？

無論睜眼或閉眼，
娘的身閒心不閒，
娘慮娘若早別世，
懷着我兒的半身是怎樣的可憐。

兒呀！你叫娘怎樣心閒，
　　你還有個大兄弟，
　　他只一雙眼睛得見天，
兒呀！你叫娘怎樣心閒？

未出院，那公寓的主人來看娘的病，
娘出院，娘今且寄食在靜庵這點；
兒呀！一切苦痛算甚麼！
　　　　只要我兒一身全表現。

兒呵！而今你的全身已表現，
　　娘今不過幾夜夜的失眠，
你豐靈魂，也有肉體，去罷！
你去看那人間果真是蜜笑還是冷眼？

去罷！我的心，我的小乖兒！
人家尋及你來歷，
必定問到你爹娘，兒呀！
你將怎樣答對？——或單是嘆息？

兒呵！有人問及你爹娘，
是兒的挺胸說罷：“娘是個生我的處女，
爹是個沒家可歸的少年，
而且呵，名義上早是個‘有妻之人’！”

兒的娘兒的心——仲平

十三，十一，二十，

海　夜　歌　聲

江山也何嘗寂寞！

我的船哥，

　　你在想的甚麼？

　　你在聽的甚麼？

請莫回想些泛泛的友誼，

聽呀，永遠是打動你船檣的水波；

你老是搖槳前進，

當搖槳與前進同是享樂，

且丟了你那邊的享樂罷；
吾們要款款說說，
款說中可以忘掉了自身的孤寞。
啊，海上一孤舟，
孤舟上是你和我，
你我的對話，
又好比一人自已的問答，
啊，海上一孤舟，
孤舟上只你一個；
還有，提起了孤舟的來歷你我要酸鼻，
這海上一往已是孤孤另另的，
啊，孤另呵！孤孤另另的呵！………
——說甚麽孤孤另另的呵，
我，我……
腔腔情血變狂歌；……
說甚麽孤孤另另的呵，

海上歌，海上歌，

　　海上也已開始了海上的夜樂：

　“我，啊，我，

　　我的原形呵，

　　誰也似不曾見過，

　　難道那山間的瀑布呀，

　　誰也似不曾見過？

　　最想便宜的怕是那位先生了，

　　他見我身有些小光芒，

　　他便向我來求道，

　　我小收了光芒，

　　　　指示他我所有的創傷——

　　‘啊！我的先生呵，

　　有多少的光芒，

　　有多少的創傷；’

那先生長嘆一氣便走了，
可憐的長嘆一氣便走了的先生呵！
這光芒怎樣的噴發，
　我還不會說；
其實這些微微的光芒
　究算得了甚麽！
我，啊，我，——
　怎樣弱小的一個！"

我的船哥，"我，啊！我——
　怎樣弱小的一個！"
但當黑霧吞盡太空時，
除了他自嘆微弱的燈火，
你還能看清了別的甚麽？
"我，啊！——我，
怎樣弱小的一個！"

"你們追殺我，

你們都在追殺我，

這宇宙是你們一家一族的嗎？

我那懶惰的兄弟們是沒望了，

我那自相殘害的同胞們與黃河沙量一樣多！

追殺我們的敵衆呵！

這些是，我們可以泣告天下的致命傷，

但我們決沒一點兒畏强，

盡你們所有的來毒害罷！

啊，我勤奮而耐苦的兄弟們呵！

我們的骸骨都願粉碎在疆場，

我們的血氣呀，

一道道的白光，

天上；

天上！”

“我們的種族曾稱過霸與王，
我們曾雄視過有獸的萬方，
啊，自從那虎獅山下的幾次戰爭以來呀，
我們的霸與王便不能不退讓；
總是的，遭敗後才深覺得自己的過失，
在遭敗後的短期間，
又沒能把自己的過失補上；
徒恃利爪與利牙，
眼睜睜敗亡在虎獅山下，
呵，對所有的獸羣
　　我們有甚麼可矜驕的地方呵？
我們的心血之中，
　　那一部沒有罪過？
爲了此：

我朝沐爪於溪，
我夜磨牙於泉；
我那天不對着陽光
憤發我自己的心靈幾遍？
啊！可斬殺的王與霸呵！
那虎獅山下的勝利者，
而今又已霸佔了我沐爪磨牙的溪泉：
所有的都將被牠佔去了；
我忍耐的盼望呀，
是要叫牠見我自強而退讓；
唬唬………我做了最後的抗爭，
我的心血來凝在天上，
牠呀！可詛咒的王與霸呀！
牠，牠成了地下的腐濫的泥漿。"

熊飛天上，

虎飛天上，
　　熊忿激乃嚎歌，
　　虎聞聲而和唱；
偉大的表現原不在勝負之分呵；
啊，熊也飛到天上，
　　虎也飛到天上，
　　偉大的表現嗎，
　　我的船哥呵——白光！
　　永恆的白光！
　　……………………………
　　哦！………聽！聽！………
　　海島，那海島又已傳來了洪水橫流似的歌唱。

　　"任英雄，
　　終有遭困的時候；

我們是怎樣自負者的子孫呵！
如今不行了，都不行了，——
甚麼昔日的豪強，
呀！我族全困在高浪四逼的海島上
高浪四逼的海島居住者呵！
怎樣纔免於滅亡？
要怎樣纔免於滅亡？
到這時，昔日的雄武氣慨全歸有用，
昔日的雄武呢？
昔日的雄武？
先斬了我們的這些王中之王罷；
啊，怎樣自負的種族之子孫呵！
先斬了你自己的權威者罷……。
哦！那星兒是虎呀，
　　這星兒是白熊，
　　空間也還有

許多空處，
啊，我們的週圍是狂浪！
我們的週圍莫非狂浪呀！”

船哥，我的船哥，
“這星兒是虎，
那星兒是白熊，
我們的週圍是狂浪，
啊，我們的週圍莫非狂浪呀！’
那才是最有力的民族，
那民族的力量過於虎，
呵！‘先斬了你自己的權威者罷！’
眞的！——怎樣，
是怎樣善於自負的種族之子孫啊！
到這時，
甚麼也不論，

就是生存……！

……………………………………

呀！看東邊遠遠起來的那位漂泊者，

怎麼她一生一世只願自漂泊？

她是海洋的中心嗎？

你聽，這海號的雄聲就與狂獅的歌浪是

一般；

這海，這海

能失了個放浪不息的中心嗎？

……………………………………

呵！似鳳烏之卵巢中未生売的一個蛋，

似誰家的私生子呀，

出世以來便沒人看管。

"將心腦贈與塵環，

22　　　　　　海 夜 歌 聲

讓他們自嘗苦與甘，

嘗不完的苦與甘啊，

未出世的胎兒

早唸着傳與後代。

怎麼？——

見我者都沈想着自己的究竟，

見我者沒有不表出自己的悲 愁 或 是 歡

樂；

有甚麼比看我更要清白的？

看我的清白，

就如像你們自己看你們的命運一樣啊。

許多人對我要狂飲又狂歌；

許多人，伏在崖岸上，

或是破堵前，

歎哭之後而又說：

“現在我將怎麼？

要是前去呀！——又將怎麼？……"

啊！這些似乎是塵環的罪過；

抬頭看太空，

難道還不相信嗎？——別的且不說，

這永遠親愛你們的

也只個孤來孤往的我。

先前燈火在唱說，

他的原形呀，

誰也似不曾見過；

就說前幾時的我，

誰又曾仔細猜着；

要知前幾時的我，

還請問他現在也還抱歉的

　　這誘惑我的海波。——

苦人心那忘得了苦人境，

請先看我那海水中的浪蕩着的伙伴罷；

54 　　　　　　　　海衣歌聲

呵！我反叛誘惑的絕崖處，
　　曾與許多窮愁人見過；
你們無家可歸的人兒呀！
　　這裏是孤來孤往的我！
　　這裏是孤來孤往的我！"

我們無家可歸的人兒呀，

家鄉？家鄉──

人肉的販賣場，

　　那處不是哄騙的絕崖？

　　那處沒遭狼蛇的咬傷？

啊！這船不是逃離來的呵，

這船也不一意找天堂，

海洋中，

愛呀！孤來孤往，

　　孤來孤往………。

呵！我的船哥，
東西來了兩位新鮮客，
長尾的，似天外的鳳鳥或孔雀；
呵！那山那樹的朋友們呀！
　　都醒來！看看這個，
　　都醒來呀！聽呵！
　　一星星有一星星的表情歌。

　　“你們渴望着我那兒的天堂，
　　而今我要拿出來請你們共觀賞。
　　你們將要先讚美呀！美麗呀！
　　單看我身後的一片霞光，
　　誠然是半個絕世的姑娘；
　　啊，——甚麼半個絕世的姑娘呵，

我這裏看她與生命不二樣。
那兒是虎星有創傷，
那兒是白熊星也有創傷，
　　　　月姑姑
　　也曾經過了多少的危亡；
我們都得互觀望，
我來都得互嘆賞。
那有世以來之第一次大戰爭我曾參與，
啊！孩子們呵，——
呀，我怎的冒昧，我親愛的兄弟們
開始的大戰爭，
便是大黑暗與我們的戰爭，
寃家世仇了，
總想鬧出個'你死，我存'。
這戰爭，這戰爭，這戰爭，
將延長到無止的來世，

可是呵，我的兄弟們，

眞血情總會結成有靈之晶形的，——

小個小個的蠣蝴虫環成島嶼，

啊，假使宇宙間充滿了個個有靈，

大黑暗牠還能從那兒逃匿，那兒逃匿呢?

………………………………………………

我的兄弟們，歌了一半天，

那天堂還不曾拿出來與你們會會面：

啊！敵人正當得意時，

　　那兒有個眞天堂得見？

我的歌聲，爲甚不寧，

兄弟，你可察覺嗎？

　　我剛剛來自戰陣。”

“啊，這兒還較安甯，

　　這兒還較平靜；

我們的個小兄弟呵，
他初嘗到世味太沒情，
他總是個小孩呀，
創傷滿身。
呵！那一個不在地獄中困過？
告訴我！世界上那一個是完膚之人？
這世界那一處不是鬼窟啊？
眞血情所到的地方總徵現半點光明。
不信嗎？
珍珠在財奴們的眼眶中特別發亮，
請就打開那財奴們的寶箱幾個罷，
你聰明而實愚魯的，從古有誰人，
能在那，寶箱中，尋得到一線光影？
啊！明明在的是地獄，
明明要誇是天堂，
明明自己就在自己的面前，

偏捨却了自己，
尋天堂在別的地方………。
可憐的我們的那小兄弟呵，
白嫩的肌膚上早帶槍傷！
我是特來邀請你們衆位姐妹兄弟的：
明晚將在這方大的歌舞場，
慶慰他槍傷！
槍傷！
　　槍傷！
　　　　槍傷！”

我的船哥，我也將
慶慰你槍傷，
　　　槍傷！
　　槍傷！
槍傷！

我們的歌舞場就設在海洋上。
你們星星們呵，
可不嫌我們的孤涼嗎？——
雖也有久交之海風爲好友而和唱，——
不客氣嗎，
這歌舞場
　　也如你們那一沒關索的一樣。

“明晚爲小兄弟慶慰槍傷，
後晚定來爲你船哥哥慶慰槍傷；
海面與天空呀，——
原相接壤。

“明晚爲小兄弟慶慰槍傷，
後晚定來爲你船哥哥慶慰槍傷；
請莫要迷信呀！

這兒並不是怎樣優越的天堂。

“明晚在小兄弟的歌舞場，
　後晚在你船哥哥的歌舞場，
你我們將合爲一體呵！——
決不是甚麼奇離的幻像。

“明晚在小兄弟的歌舞場，
　後晚在你船哥哥的歌舞場；
到了那時啊，——
獨舞又和舞，獨唱也和唱。”

到了那時呀，
你舞我也舞，我唱你也唱；
慣幽居深谷裏的野花將與會，
老漂泊的游客們將忘記了他一身的孤涼。

你們說‘海面與天空呀！
　　原相接壤；
　　有何人，他沒光，
他也能——飛到天上？

　　“你我們將合爲一體呀，
那決不是甚麼奇離的幻像；”
好，船哥哥，
　　證實了你的夢想。

你們說‘不要迷信呀！
那兒並不是怎樣優越的天堂；
確有過那兒天堂的夢想呵，
　　誰不曾見個這人肉販賣場？

……………………………………

……………………………………

……………………………………

寂靜，寂靜，

　　爲甚麼忽而寂靜？

沈默，沈默，

　　爲甚麼頓現沈默？

星星們似乎悚然而聽，

天體也驟變了色；

有夜蠱一般的光芒，

有金箭在空中來往；

要是沒有甚麼大的變動呢，

爲甚打斷了熱情的敘說，

而且猶有許多星星還未歌；

……………………………………

……………………………………

寂靜，寂靜，
　　為甚麼忽而寂靜？
沈默，沈默，
　　為甚麼頓現沈默？
你特不寧的，第一長尾朋友呵，
告我，請告我！

　　“那天外有大變亂就要發動，
　　在我們的仇敵與仇敵中，
　　啊，我們的仇敵呵，
　怪會說的冠冕話，
　牠們說，為的是大家，
　　純然為的是大家；
　欺弄了所有的愚衆，
　　為牠們來爭殺。
　啊！我們誓要斬盡殺絕的欺弄者呵！

棺材裏牠還伸出了幾雙手來：
"把金錢給我罷！
把地盤給我罷！"
黃泉下牠還深深地唸着：
"我的財產呀！
我的權位呀！"
而今來了牠們互相吞併的消息，
也正是滅絕牠們的一回好時機。
朋友呵，姐妹兄弟們呵，
來是那般的匆忙，
去又是這般的匆忙；
來自戰場，
又歸戰場，"

戰爭，戰爭，
有誰人的頭顱果是泥土所製成？

有誰人，有誰人果是一草一葉的化身？
然而，戰爭，戰爭，
無止的戰爭呵！
有一人——
“快快擒住那般欺弄者，
快將那般欺弄者全盤殺盡；”——
在人羣中的最高峯發這喊聲，
又在人羣中的最低處發這喊聲，
縱你是單調的一人，
也有你單調的一聲作響應。
呵！偉大的第一長尾星，
他來自戰陣又歸回戰陣。
斬敵人，視敵人如泥土所製成！
殺敵人，視敵人如一草一葉的化身！
唉！貪婪無饜的敵人呵，
喫了我的肉，吮盡我的血，

吸了我的髓，牠還將穢濁的魔裏，
擊毀了我的靈魂。
戰爭！戰爭！
我讚美戰爭！
我高歌戰爭！
這世界誰讓牠欺弄者在我輩的頭上橫行，
這世界誰讓與黑暗作重心；
戰爭！戰爭！
我要讚美戰爭！
我要高歌戰爭！……………
說宇宙，宇宙的叛徒呀，
宇宙的自身，——
請看我今朝的行為，
也背了我今朝的初心；
對所有所有的敵衆呵！戰爭！
戰爭！戰爭！——這唯一的戰爭！

風和歌，

海和歌，

星與月和歌，

此外你，海浪中的一人在和歌：

“假若你就是你的敵人呵，

戰爭，戰爭！

唯一的戰爭！

我凝視着一切，

看一切的整個，

眞的，那似乎光榮的華服與麗衣，

早已吞盡了，吞盡了所有赤裸的眞情。

戰爭！戰爭呵！

誰能在此種種情況中高歌和平！

要有一人在此情况中高歌和平，

那麼，"啊！聖者呵！
　救世的聖者呵！"
　人們要給他這樣的尊稱。
　他也說，他的一切都和諧，
　他所見的想的，只有自由與慈愛。
然而這聖者果眞和諧到這般？
竟沒有一次如我，牙齒齩傷了舌頭嗎？
母鷄懷抱下的孩子們被飛鷹强搶去，
塵土上軋死了多少無辜的襤褸人，
啊，也有人，——至少我，
强忍過這種種的欺辱與掠奪，
聖者啊，這也將是你所見的和諧麼？
永遠讚美你，你能臨危，
還把愛與和平高歌；
有人到了臨危時，
　還把愛與和平高歌，

這是怎樣偉大的戰爭呵；
然而有人眞能斬敵人，
有人眞能殺敵人，
這又是怎樣偉大的偉大呵！

"看我，看我，你們都看我，
我不是海神，
也非來找絕境的。
我初到那沙漠，
迫害我的是淫風，
欺凌我的是塵土，
不幸我生又帶來個大叛徒；
我有三苗嫩芽芽——
未來的三株大樹，
可一株死於淫風與塵土，
一株只能去問我那大叛徒；

那時呀，無論受怎樣的摧毀與酷刑，
我也得把這僅有的一株好好兒看護——
將我生命貫在樹幹裏：
"週圍侵我的人衆啊！
樹蔭下面也好乘涼呢，
看你刁斧之下所染的——
是樹漿呀？還是血迹？"
我體膚上受了叢叢重傷，
但夜比夜更成長；
我的脚邊且有一小泉，
有誰人的苦愁奠遣，
曾夜夜，來我的四週綣戀；
到後來，樹長的有若天傘，
惹動了人們的忌羨，
我不自己將她作舟呀；
我老奔苦的生命在一邊，——

能夠看見的只別人家的棟樑與火焰。
但而今，你們仔細看，
我的孤舟呀！——失落在那一邊？
我獨自一人呀！——又在的那一邊？
海浪中，顛連，
　是這般的顛連。
曾有幾大船傍我而過；
我呼他，他不應，
　我又奈何？
從此，我不向那一方呼喚，
就把一身當行船；
甚麼和平呵！
貌似的和平！
我想聽的是戰歌！
我要聽的是戰歌！
這荷濤眞個值得永捿戀，

她懷捲着我游半天；

戰歌呵！摟戀着海濤唱戰歌

戰歌呵！我在海濤懷抱之中唱戰歌！

戰歌！戰歌呵……………”

一人的身世這般可羨而可憐，

戰歌，大江滔滔的曲戰歌

你一人的身世呵。

有誰人，曾經過沒舟航海？

有誰人，獨在海浪之中奮戰過？

好友阿，等着，

我好友，你請等着！…………

啊啊！…………………

我好友你忽焉不現，——

只留一星影，

斜掛浪底天。

……………………………………

……………………………………

船哥，天地推移，

明月正以胸輝拂着你我的頭頂呢。

怎麼？——

一個個的筋肉都有些戰動！

較大的星子們面泛微紅！

薄雲色，——女兒腮，

尤其是近月的那幾朵；

怎麼？——

一個個都探望前方，

更如臨戰線的，是近西的的那幾顆！

明月也已披上了橘黃紗，

好像啊，這世界果有怎樣的大危機

瞬將爆發；

怎麼？——

小個的星子們是隱去呢？——是逃退？
急奔的黑雲片，
是敵人的探子呢？還是尖兵？
怎麽？——
…………………………………
…………………………………
…………………………………
看呵！——
一堵堵的來將羣星囷，
一潮潮的來佈滿了天境；
有的似乎被敵吞下了，
擊散敵人的，前途分外清。
有光處，黑暗只應向後方逃竄，
而今的有光處，爲甚麽反更失明？
………………………………
啊！敵人要包圍了天境，

敵人要包圍了天境，
朋友們！這樣的戰陣！
是這樣的戰陣！

啊！敵人已包圍了天境，
不讓與空隙一針，
朋友們！將你敵人光化嘛！
你們所有的是光亮與熱情。

啊！敵人全包圍了天境，
不留與空隙一針，
朋友們！唱你們的戰歌嘛！
唱你們的戰歌，將你們的敵人感應。

啊，敵人全吞併了天境，
敵人全吞併了天境，

朋友們！飛舞你的有光劍，
斬盡你的對頭人！殺絕你的對頭人！

啊！只見敵人增兵，
　就見敵人增兵，
朋友們！唱我戰歌一首，
　你斬殺幾千敵人，
　　唱我戰歌百首，
　你斬殺幾萬敵人；
　　根不除，草不盡，
　　世界沒有三寸土，
　　幸免過敵人的足跡；
朋友們呀！照準了，——敵人！
我們的敵人呵，
　　你從那兒逃命？
　　你將從那兒逃命？……………

世界上的懦夫不得更懦如我，
宇宙內的星子
　誰沉重若此地球呵！
光微如螢火，
　還能退敵三步，
天河中之小星，
　也還要抽劍克敵；
誰若我，這懦夫；
誰若你，這大地；
黑暗捆緊了你週身，
黑暗侵蝕着——我的肺腑；
　你有海水狂跳，
　我有心血湧潮；
　你有海水狂跳自狂跳，
　我也不過湧潮自湧潮；

啊啊…………………………!

儒夫呵儒夫!——

儒夫想滅敵,

只好待明朝。

…………………………………

…………………………………

啊。………我只能詛咒我自己,

我只能埋怨我自己,

載我的恩人地球呵!

生死兩不離的愛人地球呵!

我能夠嗎?——

打你,駡你,詛咒你,埋怨你………

啊!除了你,我的氣誰人願受?

我的恩愛呀!駡了你,

你還怕我生氣呢,

呀!……………

這樣的罪過，
我要對一切訴說：——
更要對我的敵人訴說，
讓牠笑我！駡我！詛咒我！…………！
……………………………… ……

海水現空前的洶湧，
四方來從所未聞的吼動，
深夜沒陽光，這般悶熱呀，
哦，…………船哥，
四方天，
火燒紅，
是人間燃燈禦戰？
是人間要成焦土？
呀！………………
聽這樣的崩烈聲，
當駭倒幾許敵人；……

呵！你有海水狂跳，

　　你還有按不住而激盪的血潮，

　　你原是怎樣熱烈而光彩的現身啊，

看啊！怎樣的，你的血潮！

你的血潮早已奔到天空中燃燒。

懦夫，懦夫呵，

你既沒海水的狂跳，

縱有點兒血潮，

　又奔不出你自己的肚外去燃燒，

呀！這樣世界中的懦夫只有被人暗算，

　　這樣世界中的懦夫

　　怎當得這樣的艱難!?

　　懦夫呵，懦夫，

　　去躲在那假笑的和平帳裏偷生罷；

　　懦夫呵，懦夫，

　　不然，——你就在個漂亮的室裏安坐着；

聽隔院來了無可奈何之痛楚聲，
那時，你心頭徼顫起半點悲憐；
轉眼是你屋外的'花香鳥語'，
你說："哎！討厭！太殺風景！"
——回頭見你書案上的幾張'白稿紙'，
"哦！痛楚聲，痛楚聲！"
你說，你立刻在你案前案後找同情：
騙了人，欺了你自己，
你還賣去了爲人說客的嫌疑，
對着不能再受壓，
不能再受欺的，
我們的些些，——很少的這些些，
生命力充實而跳躍的好兄弟，
你不與他們以催眠嗎，
就使用你多量的麻醉劑。
啊，………你就是這樣的懦夫嗎？

那末，我當面的敵人啊！

看我自己，

施我手續罷！………………

…………………………………

海水現空前之洶湧，

四方來從所未聞的吼動；

有一人在浪尖上鼓起胸腹，

浩浩蕩蕩的萬言歌正是劇風；

天體橙紅，

雲急走動，

神速的斬敵劍原來是閃電呵，

星星與星星，已成了內外夾攻，

這時候，有調和的奔走全歸無用，

請妥協，我們的兒郎誰也不願從。

敵人落魄，

敵人膽戰，

敵人之不堪戰者敗逃，
敵人之欲降者揮淚，
敵人是一草一葉的化身！
敵人果眞都是泥土所製成！
看呵！——
敵人也有父母和兒女，
敵人也有情人與愛妻；
敵人之冷槍冷刀無情，
我們的有光劍也似沒情；
敵人呀！聽着，——
你那世不蹧踏我們的父母和兒女？
你那世不欺凌我們的情人與愛妻？
最痛恨的——敵人，
你曾斬殺了我們些個光精精的小兄弟；
最傷心的——敵人，
剛出世的嫩筍與嫩芽，

不遭你橫暴的摧殘呀，

就遭你平白的壓抑。

啊！敵人呵！縱你是斬不盡的，

敵人，…………………………

呵！吳常發抖的，我們的有光劍呵：

“斬呀！斬呀！

還要斬他父母和兒女，

他的情人與愛妻………；

——認淸了自己的敵人，

要認淸了自己的敵人，

誰也有的父母和兒女，

誰也有的情人與愛妻；

昨夜我有東西兩衝突，

我竟用刀穿我心，

我心痛！………

“斬呀！斬呀！

總要斬他父母和兒女，

他的同道與同系；

當我未入世，就被認作了——他們的仇敵，

他們中的那一個不要做我頭上之帝王呢？

如今要理，就要理淸他們這一系。

不懷疑；

敵人在我掌握中，

反失了當初殺敵的勇氣？

捉敵談何易，

我的鋒口呀！

決沒有不用而生銹的一日，——

縱使到了最末的那半世紀。”

呵！狂浪上一孤舟，——

暴風中一憔葉，

將生命寄與孤舟，

孤舟又將寄與誰？

海浪上和歌的一人啊，

如今你在那裏？

海浪上和歌的一人呵！——

暴風暴，狂浪狂。

任你暴風暴你狂浪狂。………

只有懦夫懦夫呵，………

懦夫！將你刀，

刺你當面敵；

呀！懦夫這樣的陣仗，

你的兩脚也還難站住。

砍你刀罷砍你刀，

嘆甚麼，刀短敵身厚；

刺你劍罷刺你劍，

何必顧，劍會斷你手；
將生命寄與狂瀾，
狂瀾辭不受；
寄與暴風，
暴風將以狂瀾之辭而眉愁；
生命呀！假你不是狂瀾與暴風，
　　莫懷愁也莫懷憂，
　　你就住在你敵人的槍刀口！
　　你就住在你敵人的槍刀口！

……………………………………

吠！聽絕世的戰歌！
吠！聽最後的呼喚！
吠！怎樣猛烈，這時的敵彈！
吠！濕我衣，我四週有洪水泛濫！
是甚麼？飛入我口，
　呀！有鹽味，

呀！有鹽味，
是你嗎？——啊，淚呵！我的淚！
呵！味也腥，
呵！味也腥，
是你嗎？——啊，血呵！我的血！
我的淚你這樣流，
我的血你這樣灑，
我能夠？——
流盡你們我便逝；
吹！招魂的戰歌！
吹！最後的哀歎！
我上下四週有洪水泛濫！
那不是我的血，看清了也不是我的淚；
我的敵人，退不敢戰；
吹！敵人們全在逃竄，
敵人們全在逃竄，

　　有光劍已將牠們全看管，
　　敵人的頭顱呵！
　鬼競鬼戰，鬼競鬼戰！

可曾寃了你？敵人！
啊！歌你想歌的歌嘛！
唱你想唱的唱嘛！
你所欲說的，——
阿！你所欲說的實話，
　沒了你，
　那兒聽？
呀！縷縷的飄魂呀！——
　你哀歎自身的縷縷飄魂呀：
　　"我們每代的祖先臨死時，
　　臨死時的遺囑是，
　　'我們的子孫們！

別讓你仇敵覇世，
甯可失去了你自己的首級；
甯可失去了你自己的首級，
別讓此宇宙，被牠們家的統制；
我的子孫呵！記
孩子們都要深深的記着………。'
勢不兩立：
有你就無我，
有我就無你。
最初的宇宙全如黑漆，
有你們的血分也是極少的；
你們可吞盡而滅絕的仇敵呵，
假了個甚麼創造光華世界的虛名
一天天在闊大你自己；
爲了我族的優勝，
爲了我族的繁殖，

有你們能得不東討西征？
恨當初呵，我輩疏忽了最後的作戰，
吞未盡，你們的這一點點兒晶形；
而今，——永遠的未來：
一天天在闊大你自己，
將置我輩於何地？
宇宙呵，宇宙，
誰是你的親生兒？
誰是你的親生女？
我也能說我所欲創造的：
'一人不能看見一人的自己，——
全宇宙一錠墨黑；
一人忘却了一人的所在，——
只當天地一住宅。'
所有的光體，
小的遇着我輩還避匿，

大的而今儼然戰勝歟；
啊！子孫何以見先人！
子孫有何面目見先人！

"我曾挖去了個絕美之處女的心和腦
用地窟，封鎖了她的靈魂，
我再娟也沒有的說：
"星呀！我親愛的星！
光明呀！我心愛的光明………！"
牠們都是青年和少年，
怎當得個處女而又是美人的喚聲，——
似向日葵的易受感應啊，
似夜合花一般的容易動情；
我也曾捉住了幾星，
塞他嘴，使他莫作聲，
我在他的背後竊竊說；

"我的同伴啊，
這兒是我們的華山！
這兒是我們的長河！"
他們愛他們的華山，
他們愛他們的長河；
川流的至，
蜂湧的來，
以爲枕在處女懷，
以爲發現了自己的情和愛；
跑到華山頂，長河邊，
會那親親說，親親說的同伴：
華山下有懸崖，
長河邊有陡灘；
緊緊懷抱時，——
"仇敵呵，睜大你的眼，
仔細看！你仔細看！"——

設過的計謀而今都成了秋冬之敗葉；
費去的心機直不堪回算………！
我們未臨陣與殘餘的兒郎們呀，
我將化爲縷青烟，
到你們的夢前：
我的兒郎們啊！
記好了，這個遺囑——
'別讓你的仇敵霸世，
甯可失去了你自己的首級；
甯可失去了你自己的首級，
別讓此宇宙，被牠們家的統制；
我們的兒郎們呵！記着記着！
孩子們也要深深的記着！'
更告你，我的兒郎們呵，
給你們個攻戰計，
好好兒準備——

窺探着你敵人的驕慢與懈怠時。
呀！我親愛的兒郎們，
你們知道的：我族是怎樣的權貴，
而今慘敗，慘敗呀！
怎樣的，是怎樣的可恥！
不說了，我的兒郎們，總之：
看準了你勢不兩立的——
　你自己的仇敵。”…………
啊！仇敵，我的仇敵，
　一縷青烟的盼望也不許；
啊！我的仇敵，
　可知你那船下的血淚已無際？
啊！我的仇敵，
你好得意，讓你一姓光華照天宇；
啊！仇敵，我的仇敵，
　你將我輩的血肉，——肥你的耕地；

啊！我一縷青煙也不全，
在此情況中，縱有我同伴，
尋我飄魂，怎奈這天已非我那天！
燒燼了王宮，
佔去了花園，
問去罷，你們的祖先
多有過這一般的經驗。
吃你肉！唉，恨不能！
吸你血！唉，那能夠！
毀你靈魂！唉！…………
我的仇敵，
你坐下的墊兒眞個暖，
你知雲有聚時也有散，
我的仇敵呵！
雲有聚時也有散！”

要你散啊要你散，
縱雖我輩全成你的早晚餐；
我輩有的各人一心身，
那就是各人作戰的個老營盤。
不是嗎？
　我輩曾有幾時不遭你圍困？
　我輩的甚麼不曾受過你監管？
　狼口下的餘生，
　牢獄中的待決犯，——
仇敵呵！告訴你，
　而今我未死的細胞都叫'反！反！反!…'
　你子孫有的是遺囑，
　我們的一切所有是'反！反！反！'
　要你散，要你散，
　你只一縷飄魂了嗎？
啊！也可憐………！

坏！甚麼可憐的你些黑徒呵，

雲有聚時也有散，

雲聚嗎？擊散，

雲聚嗎？擊散；

勿論是——

　繼你來的，你的子孫；

勿論是——

　你自己的循環；

你聚嗎？——擊散，

你聚嗎？——擊散。

………………………………………………

………………………………………………

………………………………………………

………………………………………………

似天地重新開闢，

似美人去了她的上衣又下衣；

煤窟中的少年啊，
是何人，將你久困煤窟？
洗淨你的骯髒的，
是怎樣的一條河流？
是怎樣的一簾瀑布？
重見你，重見你，
然而——許多兄弟們是早已不見了
我的明月呵，你的橘黃紗呢？
　你的橘黃紗已到那兒去？
啊，你永恆一般的若沒事；
誰知呢，大變亂剛剛過去？——
　看這光景；
誰知呢，你也是狠口下的餘生呵？——
　你若此的澄淨。
……………………………………
唉，我所懷着的，先前是無限的勇敢，啊，

無限的快愉，

　　這勇敢與快愉，如今要變作了一場淚泣——

　　呀！我的明月呵，

　　　假若你要明晚不再來，……

　　呀！我將怎樣辦？——

　　　此刻你已漸沈西。

　　假若明晚你不來，

　　呀！變亂與變亂的終結，

　　　兄弟姐妹們有多少已不在，

　　　你西沈，

　　　我淚泣，

　　　我終止於淚泣嗎？

　　　假若明晚你來呀，

　　　恐怕你將無處探，——

　　　啊！就說這隻船。

　　我的明月呵！

難道你就那般漸西去？
我就這般老流泣？
呀！眼望着就要過去的這青春的你，
我照鏡，我今又是叢叢少年鬢！
啊呀！快快緊抱着你少年的我嘛！
怎樣能夠撒手呀！
眼望着這不待我的青春！——
這，這不待我的青春呀！……
——我能夠我怎樣辦？
假若這時我已貼緊你的懷，
實際我已貼緊你的懷，
那末，仇敵呵，一切我的仇敵呵，
願你果有這樣奇能與大胆：
將你一刀或一彈，
把我們的心胸穿；
那時候，

　我們的心心，

　我們的肝肝，

　我們的甚麼與甚麼都連成一串。

我的仇敵呵，不然，

只要她於明晚後晚…………都會來

　將我雄劍抽去罷！

　將我的雄劍抽去罷！

然而，——這可不能尋思了，

　是怎樣的，——棄了我，

　是怎樣慘淡的一個明晚與後晚………。

——我能夠我怎樣辦？

拖我脚的是懦夫，

叛我前的是時辰，

更是此當面的時辰；

啊！我們的青春呵！

　懦夫立在陷阱，

　　餂我而又逼我的，這個時辰；
我的敵人，
　　假若你壽長，
　　你看我怎樣逃命，
啊！青春，立在陷阱裏的青春，
　　時辰，你解我如要犯的時辰。
明月呵，
　　爲何願將你的腕，
　　伸入陷阱？
　　因甚明月腕，
　　願作懦夫枕？
懦夫呵！一星待你你不歸，
恐將含血與淚而南隕；
　　明月獻身將憔悴，
　　就爲的是懦夫你一人；
啊！你在的是陷阱，

陷阱底活葬着一星的良辰；
你沒能出陷阱，
你沒能往上升，
月將漸憔悴，
月有你而實孤零；
呀！儒夫呵！
將讓她良辰終活葬？
看着月憔悴，
憔悴且孤零，
孤零憔悴，憔悴孤零：
這是怎樣的呵！——罪名；
將你活葬陷阱裏，
刑嫌輕；
陷阱底更鑿陷阱，
刑嫌輕；
使陷阱無底罷，

唉！陷阱都是沒底的，刑嫌輕，

天之東見你這樣的懦夫，

地之西，也多遇你類似的罪人。

……………………………………

恩愛的呵，

我能夠怎樣的恩愛你，讚美你？

懨恨的呀，

我能夠怎樣的懨恨你，詛咒你？

我總是恨多而愛少，

我總是讚美少而詛咒多；

假若照母親的說法，'打是心癮罵是愛'，

那所謂愛與恨已無從分劃。

啊！懨恨的，

將恩愛送把你，

恩愛的呀，

你要的是甚麼呢？——

我知道，這裏頭我通同知道：
　長途的森林裏有支飛鳥，
　她飛上，她飛下，
　等到那個旅客的兩腿疲乏了，
　她便待在林梢；
　啊！誰知是他禦賊的短槍呵，射傷了；
　伴他孤寂的那個飛鳥？——
慰勞歌被人家當作嘲笑，
黑暗裏閃來的個螢虫，
迷途偏罵你是鬼火燒。
將恩愛送與懨恨的；
恩愛的呵，
　你得來的又是些甚麼？
啊！我沒有這般的善心又奈何？
　懨恨不解仍懨恨，
　對人間放棄了詛咒我不能；

何况是呀，懦夫，你這懦夫……。
啊！我終不能怎樣辦，
我青春的明月西沈我能向誰去訴苦！
我的美人兒的全身又已爲我而裸露——
呵！裸露呵裸露！
恨不得——雄劍抛江底，
呀！若不念二十來年的相與相依，
我的美人呵，你是這樣的個裸體！
呀！你是這樣的一個裸體！

你時辰，你時辰，
你解我如要犯的時辰；
聽，聽聽聽！
聽我雄劍鳴！
你鞭撻着我們，
還要盜走了我們的青春

那大仇敵剛戰敗而去，
你這時時偷盜我們的，
你這當面的仇敵你時辰
自古以來的人命那兒去？
你盜了今之人，你還冷視後之人，
仇敵呵，
　你總是個無底而無邊的大陷阱。
我有的朋友，
　煩惱的抱着你一生；
我有的朋友，爲了你，
　走到江邊躊躇後，幾次轉回；
我有的朋友不見了，
　自從走到江邊後。
週圍壓我的是前之敵，
　　趕我入那虎口的是後之你，
時辰呵！你這時辰！

你聽，你聽，

　聽我雄劍鳴！

砍破你肉你血管，

刺穿你骨並你心，

　刺不穿你骨並你心，

　怎見得我深深處的血情；

　不管最後的勝利是我還是你

　就算是你，

　雄劍鳴，雄劍鳴，

　讓我雄劍鳴。

你逼我而去的是暗淡的前途，

我閃照於過去，現在，未來的只有歌聲；

仇敵呵，我並沒一點兒求你，

說甚麼青春，就是生命，

你需緊緊防備的，

還是你的骨肉和你心。

恩愛呵！我所唯一贈你的
是些些剌濫的時辰；
剌濫的時辰如流水，
在這裏，你看見你流行着的青春；
剌濫的時辰如明鏡，
你這裏，他將退還了你的青春。
恩愛的呵！我唯一報你的：
看你爲我而瘦的臉，
看你舌頭和嘴唇，
看你被我引得狂紅了的心，
啊！再看呵！徒令你和我傷情——
　這不堪激戰的懦軀，
　明鏡流水中，
　也見他不堪再見的心影！
呀！恩愛的呵，
　人間給你量不盡的冷眼，

　　怎當得我呆兮兮的看你一看；
　　任他們怎樣的譏你諷你，
　　聽我熱活活的一言，
　　甚麼譏與諷，全都消散而不見；
　　只有我一人的讚美是眞的，
　　有我一人的讚美呵，
　　誰管他毀謦之萬萬千千。
來罷！所有的仇敵，
冷刀儘管落在我的體膚上，
笑駡儘管築起了重重圍牆；
最大的限度是將我頭提去，
最大的毒刑——
　　將我砍碎，
　　撩與飛鷹；
除了此，還能傷我嗎？
啊，就算這兒的路碑，

　　那兒的鐵壁，
　　通通刻寫着——我的罪名，
　　我死時，再讓你們揑造一篇序；
　　除了此，還能傷我嗎？
　　我相信，我相信，
　　這已盡了你們的大限度與大毒刑：
然而親愛的一笑，
甚麼毒刑苦也要全消；
至於名聞呀，
牠早撇我而背逃；
罪名呢，勞你駕，
你刻寫着千千萬萬一切由你去揑造。
其實呀，那些全都是些膚痛呵，
請看我，一個個自打回的，
　一個個自打回的，我心的湧潮；——
啊！我心的傷痕呵，

我自己知道，
我自己纔知道。
我的恩愛呵
那怕人間苦，
只愁你不笑。

呀！心影呵
西沈去，
劍可照準了，
是我沒力呀？
是我劍不利？
我也沒力，
劍也不利，
然而我——要有力，
我的劍，要銳利，
這光景臨我我已忍無可忍，

　我'捨不得'的情緒又絲毫不能禁；
啊！人不力，
　　劍不利，
　劍鋒上何曾多染，
　多染他的血跡與髓跡。
蕩我舟罷——
力的練習
磨我劍呀，——
劍也銳利；
　一滄海，——
　磨劍池，
　生時抱着劍來，
　死時抱着劍去。
你解脫了上下衣的美人呵！
枕你腕於陷阱中的恩愛呵！
我所能夠寬懷於你的，…………

啊！我沒力，
　　怎樣寬懷你？
　　將我心寅雄劍作獻禮，
　　祈求你，寬懷一的的！
美人呵！恩愛呵！
美人恩愛呵！
你寬懷一的的！
且奈我沒力！
呀！愛呀，——
　這是個唯一的希冀！

　"呀！愛呀！
　一切我愛呀！
　寬懷一的的！
　看！我這樣的狼狽而焦急，
　人家追趕我，

都順着我一路上的血滴。

我由棘山來，

我從阨海過，

一路上那一歲沒經坎坷！

來途確告我以去路呵！

　走着去路，

　嘗味來途——

早見山脚果是幾堆墳，

也曾見那山腰眞有幾堆土，

幾堆墳與幾堆土實在是一樣凄涼，

山下與山腰誠屬此大山之一部；

前途迷茫果也分明，

有時憶不清我崎嶇而迂迴的來路，

　手上削的是酸果，

　舌頭先味而嚥下的已是來途。

　啊，誰能否認呵！

到了山頂
終不出此大山之一部，
而況山頂呀，——
"雲深不知處"。
然而我總是奔往前途，
似乎我已看清了那雲深處；——
渡陀海呀超棘山，
走坎坷呵越險阻，
新傷蓋着舊痕，
我悔恨，當初曾經放鬆的一步。
受不盡的週圍的鞭撻與凌辱，
全讓牠變成灰土；
不然最後的解決
就送與他們骨骸一付；
但我一生啊！
奮走着我的大路。

　　齊走着我的大路。

　　　呀！愛呀！

　　　一切我愛呀！

　　那末你可寬懷一些些！

　　看啊，我這樣的狼狽又倉猝！……”

只在空山裏得過回響，

如今這回響會來自天上。

同一樣的石頭，

同一人的右手，

　湖水仍是悠悠，

　只新起的波紋不如舊；

你是天南，

我是地北，

可這樣的歌聲啊，

要分辨也不能夠；——

　是天南人的悲愁呀？
　是地北人的悲愁？
那夜，雲如臥虎，
那夜，月裙輕綢，
山下農民全睡盡，
左右空氣點沒聲，
不知是三更已四更，
半山上的破屋中走我一人：
　左手拖着白巾，
　右手高舉磁盃；
看了環抱的寂靜之江山，
墊脚而伸嘴的又去就——那天上的美人；
看江山後就美人，
就美人後看江山；
　路線不平，
　人嘗失足，

一聽而再聽，
睡草議笑聲；
是怎樣迂曲的山逕呵，——
來到那眼古井前，
　已經好一陣；
一般與我赤身立着的，
　那時的月明，
那時的臥虎
　是已變了鴻雁與飛鶖。
我與涼水之深交從此起；
我托盆於空際水下行，
深深的覺着天地——
天地之眞潔是裸然一身；
如我的穢濁怎樣幸，——
深山中一眼古井。
洗浄時，盆擱地，

盆底餘水中還着星星；
　是我一時的奇興，
　在那餘水中，
　我右手繞上一彈而音——'磬…'
呵！是怎樣的一音——'磬…'！
　發自怎樣的一抱琴！
啊！我的朋友呵，
　我地北人的悲愁，——
　你天南人的歌聲；
　我偶爾一彈之音，——
　發自伯牙指下那抱琴。
呵！你天我地，
　他是往古我而今，
　可再有個異地或是後之人，
　她一時的情懷與我緊緊相呼應？……
啊！我的朋友呵，

你總算是個健麗而豐力的人形，
麗如你嗎，
就是個假道學式之處女
也要來偷你的情。
我的朋友呵，
你狼狽焦急，
你的背後還有追兵，
白熊星與虎星呵，
也莫不是血淚的晶形。

"踩蹦下的我的生命，
忍，而今已忍無可忍，
我欲狂，恨未能，
聽人家由衷的歌聲，
按不住我隱伏而跳盪的心情，
然而我唱給誰人聽？

我歌給誰人聽？
誰人願聽呵？——
我的歌聲。
呀，我不能忍，
一腔苦情，
然而我要唱給誰人聽，
我要歌給誰人聽，——
要唱呀，誰能塞住我的嘴，
不唱呀，誰敢逼着我發音，
我腹上的潺潺流水，
你們曾經一次問過誰？
久與這人間相處，
感染着他的懦懾；
老與這人間相處，
剛下地的胎兒也將不得哭—哭。
呀，我的歌聲呵！

你是一胎兒，
不得哭，就可被難而早死。
這個人間，———一切的胎兒呵，
先先睜開你眼睛，
看看她懷抱着你的
　脸色已是怎樣慘白了的一個人。

………………………………………………

啊，豺狼狗馬踏我身，
還想望牠豺狼狗馬動悲憐，—
　不曾見那屠戶嗎？
　他何嘗允許過一隻小羔羊的哀請？
　你說，"祝你丟了屠刀罷！"
　說話人，請先捧出你的心，
　他屠房中有的好美酒，
　假你不是修行人，——
　人心好獸肉，

屠戶好胃口，

你將得見——

他杯也不停，

筷也不閒。

··

地面上的繁榮，

　一切由我而表現；

地面上有污濁，

　我身有瘢痕一點點。

人嘗美江海而忤我，

　試問那江海是誰人的表現？

人嘗指瘢痕而羞我，

　試問那瘢痕在那裏？——除掉人間！

而且瘢痕呵，

　證實你人間的試驗；

又何況許多瘢痕呀，

洗潔你的眼，你還能見嗎？
呵！我載重而行遠，
我恨我蠕遲已夠夠，
還用得着你們幾揚鞭
我行從不倦，
若是我心冰結了，
看一看那和愛的春光，
她會自己送來你面前？
啊，幾次忿怒，
　幾次膚裂陷，
　待到我身全崩壞，
　你還有甚麼的個人間？
我願我身早崩壞！
這樣的個人間！
　我身若不早崩壞，
　再忍欺與辱啊我不能；

不然，我又何必發些恨歌與恨言，——
任豺狼狗馬永遠踩躪我千年，
像此天國中之某一大國民，
　那一般的沒憤也沒怨。"

從不聞，你將心情向人歌，
也從不聞你將往事仔細對人說；
你已出眶的眼淚常常反向肚裏流，
你將脫鞘的雄劍，
　浩歎了一口，
　又往鞘內收。
眞的；眞的歌聲當是人人有，
　　眞的歌聲可不在這人間流；
眞的；眞的眼淚果是人人有，
　　一到了人間，
　人間就只一冷眼，

還彷彿是不得而已的應酬。
啊，眞的；眞的歌聲人間那裏聽，
眞的；眞的眼淚人間早已沒處求；
無怪那個自然追尋者，
他老在絕崖處奔走，
無怪你這人間僬生客，
長歎一口口，
劍出鞘又收。
呀！你這貌美而情重的女子，
你這深沈而渾厚的地球，
人家只見你身後的陰影，
硬要說那就是你的本身；
指着此世上的穢濁，
就講起是你原形，
可憐的你這姑娘！受一羣
豺狼狗馬之蹂躪，

你仇沒處報，
你冤沒處伸，
你就一夜夜，
吞下你眼淚，
咯咯的你怕與人聽的哭聲。
啊，你這含冤而受屈的女子，
從前你甚麼都是忍忍，
如今會得聽
你按不住而迸發的歌聲。
呵！縱我不是害你之一人，
呵！縱我是害你之一人，
而今我要燒絕了一切的卑懦，
你我背靠背，
斬殺對頭人。
而且啊！你這受辱與我一般的女子呵，
狂唱罷！你就從此狂唱罷！

世上與你共肺呼吸的總算還有一個我。

啊，你同伴的都在高處行，
　可憐的呀！
　你天下的兒女，
　你位低的大地。
　假若我不常常設想說，——
　這天空是你尚未綴成的件花衣，
　一切瑩瑩的表現，
　全發自你心急迫的希冀，
　那末，——你天下的兒女呵，
　單憑我的來途設想你，
　我也將永生永世爲你而悲泣；
　假若我不常常自慰說，——
　我最親愛而最崇敬的，
　是一嘆而三奮的你天下的兒女

是忍不住悲情而歌哭的大地，
那末，——
唉呀！你天下的兒女呀！
風浪不放鬆的是我船，
天下可憐而無告的就是你，是你，
天下可憐而無告的就是你！
有一天，打破了我的設想與自慰，
那時呀！可不分明了，
我何止於悲泣！……呵！悲泣！………
…………………………………………
…………………………………………
天體的運行永不息，
星星們的去路都向西，
先前果是繁榮的一柯太空樹，
而今大半的花果不知落那裏？
先前他不來，——

啊，你健麗的人形星星，

　那海上一孤舟，

　孤舟上一拔劍人，

　衆徒必以爲猖獗的時機已至，

　天地間又只寥寥幾鋒雄劍鳴

　雖然孤劍一鳴鳴到底．

　有誰人不在誠懇的希冀？——

　天地間有眞同心與眞同情。

船只向前行，

不知漠忽的那邊是對岸了還是海中心？

呵……那來的對岸呵！

船只向前而行。

那邊隱隱約約的，好像是一架孤山呢，

個山頂反好像有個目烱烱的少年人。

啊！有誰人先我到過此？

　他的船隻呢？
　何處是他的船隻呀？
少年人！目光炯炯的少年人！
你是單獨的一靈魂？
還是我前途的化身？
啊，這浪頭呵！——
這活躍的崑崙山頂；
　這浪底呵！——
　　這沈沒的死海之濱。
　船經浪頭又浪底，
不知何時是天明？
　船經浪頭又浪底，
不知何時鷄纔鳴？
　你崑崙山下的雄鷄，
　我船只向前而行，
　這時我想發現的：

是怎樣熱烈而光明的星星；

　這時我要聽見的：

是雄雞鳴，

　更是你崑崙山下的雄雞鳴。

　而且，崑崙山下的雄雞此時已該鳴，

　崑崙山下的雄雞呀！

　此時不鳴你將何時鳴？…………

　吠！…………

　我想發現的星星，

　吠…………

　那東方的海霧中已含着朝陽影。

　“永遠是一貫的長夜，

　　在此長夜中我懷抱着一切，

　　一切在此長夜中又懷抱着我；

　　解不開的一切與我，

割不斷的我與一切呵！
我那恩愛的朋友又先生，
你已早在高峯之上向東而待着，
呵！先熱熱烈烈的吻你三吻罷，
恩愛的，我的朋友先生呵，——
我仍舊是體無完膚的那一個，
傷痕倒一天更比一天多。
我熱情的奔放在你眼前，
我心血的灑落，請看空間；
人嘗見黑暗遇光明而逃避，
却不見黑暗限制着光明的向前；
看我的來途有甚奇險，
可四方的森林中都伏着暗箭。
請看這中天與西方呀！
還有多少的囚籠
與多少的鐵練；

不是個有血又有氣的丈夫，
誰敢挺胸而前，
視已見若未見；
不願以生命去探險的兒女，
只好先先求恕饒，
只好先先跪在鐵鍊或是囚籠邊。
跪在鐵鍊或是囚籠邊，
啊，許你得到了卑微的可憐，
或更接受了一付鬼臉，
請問世間那有一座真的長生殿？
你可永遠跪在鐵鍊或是囚籠邊！——
這才是個永遠洗不掉的污痕呵！
我所親愛的一切，
固然一人有一人的自願；
啊，我倒不願，
　我倒不願，——

除了囚籠與鐵鍊，
還可跃下此碧茫茫的海中間，——
固然我也不想一座長生殿。
嗳！說甚麼鐵鍊囚籠呵，
叫你一個個一個個都要毀滅！
不燬滅嗎？等待着：
我這和愛如慈母的
我這激動若風雷的，
啊，我生命的光芒，
我血情的奔放，
生願熱烈而紅麗的生，
葬願熱烈而紅麗的葬。
請看罷，——
週圍的暗箭已齊發，
那一個不想將我全吞下；
再看，——這樣清明的早晨啊，

世上已被着烟霧，

人間已捲起黃沙；

誰不是有血氣的男兒？

誰不是有血氣的女子？

怎麼要讓黑暗被太空？

怎麼要讓世間漫黃沙？

告訴我，那一個不是有血氣的男兒？

請你告訴我，那一個不是有血氣的女子

呀？…………

呵！永遠是悠悠的長夜，

我們不過權將此時當晨曦，

我所愛的，

並非我輕你，

要個明潔一沒瘢的世界嗎？——

也無論，你想要個怎樣的——

請先量一量[illegible]所有的血液；

縱不然，當着綠葉未離枝，
也得朝朝呼吸幾腔鮮空氣。
啊，看呵——
看我當前的魔鬼逃退！
看四方的暗箭穿我身！
看海浪吞着金光！
看我一步步的衝往前陣！"

看呵：——
看你一步步地衝往前陣，
看拋棄而無盡的浪浪黃金；
看你當前的魔鬼逃退，
看四方的暗箭穿你身；
一四方的暗箭何獨穿你一身呀，
逃退的魔鬼也何獨你一己的仇人！

啊，日也不寧，
　　夜也不寧，
　　恨不得，與仇敵同爲灰燼！……
"你爲灰燼儘可以，
我爲灰燼可不行，…"
呀！仇敵牠與我這樣的回音，
呸！你羣魔鬼呵，
　　是我忿急，
　　我誰與你同灰燼……。
啊！雄劍鳴，
我的雄劍鳴，
　　雄劍於今不得暫離手，
　　否則魔鬼立即噬我身。
啊！日可以不寧，
　　夜可以不寧，
　　這麼樣的處境！

這麼樣的戰陣！

我的船哥呵我的心，
我的船哥呵我的命，
前面是孤另另的海島，
這裏是萬浪會擊的中心，
你老是閉口運力搖你槳，
我永遠舞劍，
護你前行並給你歌聽。
呀！一夜夜的戰鬥，
　　戰到天暗天又明；
我所渴望的朝陽已至，
怎麼還聽不到崑崙山下的雄鷄聲？
怎麼呀！是我耳聾嗎？——
我聽不到崑崙山下的雄鷄鳴？
想來是，被水聲阻隔了，

因爲我處在這萬浪會擊的中心。
——然而我已見了這東方的一點光明，
我總要聽，要聽呵，
要聽崑崙山下的雄鷄，
崑崙山下的雄鷄，
　　你沒可奈何的，
　　你忍無可忍的，
你赴敵底的歌聲！
你赴敵底的歌聲！

十三年十一月二十四日四更時完

這空漠的心

（寫罷了海夜歌聲）

幾月來，我這空漠的心，
　　空漠到沒有飄渺的一粒塵；
啊，我不獨身貧——心更貧，
　　貧像個太古時的
　　沒有把刀斧的老百姓；
但我何嘗如他們，
　　他們那健麗的人形，
　　他們那混沌的初心。

創造着海夜歌聲，
忘去了今人，古人，後之人；
海夜歌聲剛完成，
我說，我獨自說：
"勿論你是荷馬或屈平，
勿論你是李白郭沫若，
還是哥德或但丁；
更無論呵，——你是怎樣的個抒情人。

其實我何嘗知道荷馬或屈平，
我也何嘗知道沫若或但丁，
我曾說過的：
'我的身貧心更貧；
假有人要來追問我的屈平或但丁，
我只好指着那天體的宏構——

我狂妄的心境；
有誰人罵我胡說，我更沒有不承認。

昨日往冰湖遊行，
孩子們踏着磚塊在滑冰；
那時空中飛着一寒鳥，
他歌唱與孩子們的滑冰
怕是同一的用情；
假若那時有一人在仔細看也仔細聽，
'呵！那是海夜歌聲的歌者罷，
那歌者的歌聲是來自湖山頂。

同一樣的用情，——
孩子們自誇他本領高明，
寒鳥並不唱
人家所景仰的白鶴之聲；

至於我'身貧心更貧'，
就唱我'身貧心更貧'；
寒鳥總是自傲的，
踏磚塊而滑冰的孩子們更是驕矜。

又在個荒涼山頂，
高讀我海夜歌聲，
我那素交之冬風老友
沒客氣的來同伙訂正，
更袒懷的奏起了同調之琴
那時我提起'勿論荷馬或屈平，…
老友說，'都是一樣的，
都是些目空的妄人。

切莫理那些博士先生，有誰人
敢說他管理着這歌場的命運？

假若你'身貧心也貧'，
那你和我更是同心；
你唱罷——我聽，
我唱罷——你聽；
我的老友風，
更有一抱琴。

啊，可是這幾日來啊，——我這空漠的心！
我這分外空漠的心！
都由於我的狂妄嗎？
把我笑得分外空漠的，
恐怕就是荷馬與屈平；
然而這娃娃何獨你們非笑啊，
當然的，她是怎樣幼稚的一個人；
啊！我這空漠得渺茫之一微塵也不着的心。

十三年十二月九日北京